JN059233

完本 哲学への回帰

人類の新しい文明観を求めて

稲盛和夫
梅原 猛

PHP

発刊にあたって

企業破綻、反社会的な事件、経済危機、地球環境問題、テロや地域紛争……。東西冷戦が終わり、「希望の二十一世紀」を迎えるはずだった世界と日本は、期待に反して、いくつもの大きなトラブルに見舞われました。

そのような状況において、地球全体、あるいは国家として企業としてどう対処すべきか。また一人ひとりの考え方や行動をどのように変化させ、問題解決を図っていくか。人類の叡智が問われるようになります。

そこで一九九〇年代半ばから二〇〇〇年代にかけて、日本を代表する経営者である京セラ名誉会長の稲盛和夫氏と、当代随一の知識人である哲学者の梅原猛氏（二〇一九年一月逝去）に、現代文明のあり方について、継続的に対論を行っていただきました。そこから問題解決へのヒントを、深くわかりやすく、日本人に提案してまいりました。

本書は、お二人の叡智の結晶である三冊の対論書籍、『哲学への回帰』（一九九五年九月発刊）、『新しい哲学を語る』（二〇〇三年一月発刊）、『人類を救う哲学』（二〇〇九年一月発刊）を集大成したものです。各書籍は発刊後、それぞれの時代、社会にインパクトを与え、多くの読者の支持を得た名著になります。

ただ残念ながら、三冊の書籍で訴えてきた「地球環境問題の解決」「倫理観の高い資本主義の創造」「〝働く意義〟の再構築」「一神教的世界観から多神教的世界観への転換」「日本人の道徳心の復興」などの諸問題は、いまだ解決に至っておりません。

そしていまこの時においても、人類社会には地球規模での大きな変化が日々発生し、解決すべき問題が山積して、われわれのもとに押し寄せてきています。

そこであらためて、迷走する現代社会に対して、はっきりとした道筋を提示することが重要であろうと考え、『完本・哲学への回帰』の発刊を進めました。〝希望と幸福に満ちた〟世界、日本の再構築に向け、読者の皆様には、ぜひ再びお二人の叡智からヒントを得ていただければ幸いです。

なお、「完本」の制作にあたり、三冊の文章や内容はなるべく生かし、一部、内容やメッセージが重複している箇所と、時事問題を扱っている箇所のみを整理する方針で進めました。お断り申し上げます。

二〇二〇年一月

PHP研究所

完本・哲学への回帰　目次

第三章　共生の哲学と循環の思想

第四章　心の教育を目指して

第五章　「行き詰まりの時代」を開く方法──梅原　猛──

第二部　人類を救う哲学

第一章　文明の崩壊が始まった

第二章　アメリカ文明は正しいのか

第三部　新しい哲学を語る

第一章　道徳の復興こそ急務

第四章　宗教と人類の未来

第五章　哲学をベースとする社会を

装丁：印牧真和
装丁写真：朝日新聞社

第一部　哲学への回帰

第一章

混迷の中でわれわれは何をなすべきか

――稲盛和夫――

日本人が豊かさを実感できないのはなぜか

戦後、日本は豊かになり、世界でも有数の経済大国になりました。私どものアメリカにある子会社と日本の会社を比べますと、そのことを実感させられます。工場の製造要員も含めて、平均賃金は日本のほうがはるかに高いからです。一ドル＝八五円（当時のレート）での計算ですが、アメリカ東海岸のサウス・キャロライナにある子会社と日本の会社では、日本の賃金がアメリカの二倍になります。世界第二の経済大国といいますが、賃金ベースで見ると日本はアメリカを追い越しているわけです。

しかし、それでも日本では「豊かさを実感できない」という言葉が流行っています。「日本の経済規模が大きくなり、日本は経済大国になったというけれども、豊かさを実感できない日本になっている」

こういうことを、政治家から民衆まで、みんなが言い続けている。そして、「われわれは何とかしなければならない」という議論が続きます。

もちろん、流通の構造や規制などの問題はあります。こういった不都合は修正していかなければなりません。しかし、その不都合な分を差し引いても、それでも日本は豊かな国であるはずです。

衣食住が足りずに、餓死したり、凍死したりする人は、ほとんどいない。馬車馬のように一日十八時間も二十時間も働かなければ生計が成り立たないという社会でもない。これを「豊かな社るべきです。

会」と呼べないのでしょうか。ここまできたなら、やはり「豊かな社会」に到達していると考え

そうだとするならば、日本人は「豊かな社会」に身を置きながら、豊かさを実感できないでいるということになります。どうしてそうなったのかを考えますと、日本人は豊かさを実感できないような貧相な精神構造に陥っているためだろうと、私は思います。すでに手に入れた豊かさは棚に上げておき、自分の持っているものの他に何かを求める。また、客観的な豊かさの基準があると思い込み、「もっと豊かさが欲しい」と思っている。だから、「豊かさが実感できない」のではないでしょうか。

本来、豊かさというものは主観的なものであって、絶対的な基準などは成立しないはずです。また、豊かさは天から降ってくるものではなくて、地に積み上げられるもの、つまり自分で作り上げるものでもあります。

仏教では「足るを知る」といいます。この言葉をわれわれはいやというほど聞いたはずなのですが、現実には足るを知らない人が多いようです。だから、「豊かさを実感できない日本」ということになるのです。

極端なことをいえば、足ることを知らない人、あくまでも不足を感ずる人は、どんな状態にあっても豊かだとは思わないわけですから、永遠に豊かさを実感できないということになります。結局、「足るを知る人」にしか豊かさは実感できない。「足るを知る」という精神構造のバックボーンがあってはじめて、豊かさを実感できるのです。

「足るを知る」の反対に位置する「足るを知らない」というのは、「利己」（エゴ）ということです。利己になれば、自分だけの利を追求することに汲々とし、「利」を支える理屈に合うか合わないかという基準に立って判断するようになります。そうなるといつまでも足ることを知らないままになるのです。そしてそのような利己に基づいて行動する人が現在の日本には多くなっていることが問題なのです。

利害得失だけの価値観で日本の社会が動いていることが行政改革も阻み、規制緩和も阻み、地方分権も阻む大きな原因ともいえるでしょう。既得権益に慣れた人たちは改革に対し常に絶対反対を唱えます。タクシー業界はタクシー業界で団結して新規参入は許さずに料金を値上げしていく。私鉄は私鉄で運輸省（現・国土交通省）とのやりとりの中で値上げをしていく。政治家は党利党略で政治を牛耳ろうとする。すべてが利己的な行為であり、他人のために犠牲になろうというような「利他の精神」、あるいは「愛」といったものがまったくないのです。

行革や規制緩和、地方分権だけでなく、政治の混迷、バブル現象やその崩壊が起こったこと、株価の低迷、金融不祥事、日米経済摩擦、国際的な問題等々、日本を取り巻く混迷は非常に貧弱な倫理、哲学しか日本人が持ちえなくなってしまったところから発しているのではないか、と私は思います。

地獄と極楽の違い

仏教の教えの中にこういうものがあります。

ある弟子がお坊さんに、「地獄と極楽があると、あなたはおっしゃる。そして、地獄には閻魔さんがいて、たいへんな苦しみを味わわされるというけれども、地獄と極楽はどう違うのですか」と尋ねました。お坊さんは「あれは、世の中に悪い奴がいるので、悪いことをすれば地獄に落ちるという戒めのために、少しオーバーに表現しているのだ。実際は地獄も極楽も物理的条件は何にも変わらない。まったく同じものだ」と答えました。弟子のほうは当然、驚いて聞き返します。

「地獄には閻魔さんがいて、血の海などがあり、極楽には花園があって素晴らしいところだと聞いています。それが本当は一緒なのですか」

「まったく一緒だ」

「では、地獄と極楽のどこが違うのですか」

「それはそこに住んでいる人の心が違うのだ。地獄というのは地獄に住むような心を持った人たちが住んでいるところ。極楽というのは極楽に住むような心を持った人たちが住むところ。たとえ話で説明しよう。おまえも知っての通り、うちのお寺では年に何回か、おうどんの御馳走がある。修行しているお坊さんにとって、おうどんというのは年に何回かしかいただけない御馳走だ。そのおうどんの御馳走が、地獄と極楽でどう違ってくるか。

薪を燃やして、大きな釜にグラグラとおうどんを湯掻く。そこで湯掻いたおうどんを一メートルほどの長い箸でそれぞれが取って、お汁につけて食べるとしよう。

さて、お腹がすいた連中が年に何回かしかないという御馳走の日に、鍋の周りに陣取って、

『さあ食べてもいいよ』となる。これが地獄だったら、餓鬼道に落ちた連中がわれ先に箸を突っ込んで食べようとする。いっぱい取った奴がいると、向こう側の奴がそいつに取られたのでは自分の食い扶持(ぶち)がなくなるとばかりに、自分の箸でそいつが取ったうどんを引きずり下ろす。そんな騒ぎの一方で、適当な量をすくい取って食べる寸前までいく奴も出てくる。しかし、つけ汁につけるまではいいが、箸が長いものだから口まで持ってこられない。だから、おうどんを下に落として食べようとする奴もいるだろう。すると、その落としたおうどんを横取りして食べようとする奴も出てくる。

そんなことをやり合っているから、誰もおうどんを食べられない。自分が食べられないものだから、食べられそうな奴の邪魔をするという者も出てくる。そうなると喧嘩があちこちで起こる。その騒ぎの中で、釜がひっくり返り、おうどんは飛び散って誰の口にも入らない。入らないからますます殺気だつ。しまいには、箸でもって相手をつついたり殴ったりし始め、みんなが阿鼻叫喚(あびきょうかん)の巷にあふれかえる。

一方、極楽はというと、『食べてもいいよ』となったら、自分が取ったおうどんを前にいる人のつけ汁につけて、『どうぞあなたがお先に食べてください』と食べさせてあげる。『こんなにおいしいものを私が先にいただいて、誠に申し訳ない。あなたもどうぞ』と、相手も食べさせてくれる。お互いに譲り合いながらお互いに食べ合う。

このように平穏で、心優しい人たちが住んでいるところを極楽といい、『俺が、俺が』と自分のことだけしか考えないような人たちが住んでいる場所を地獄というのだ」

ここには現在の世相が地獄として語られているような気がします。新興宗教がらみの事件も、バブル崩壊の現象も、政界の変動も、すべてが「俺が、俺が」という利己に固まった人たちの住む世界で起こる現象です。行き過ぎた円高も、貿易摩擦も、全部そうです。それはそこに住んでいる人たちの心が作り出したものなのです。事実としては、そこに釜があり、そこにおうどんが煮えていて、お箸があるというだけのことです。阿鼻叫喚の巷を作り出すのは、そこに住む人たちの心なのです。

現在の日本のこの世相も、今住んでいるわれわれ日本人の心が作り出したものです。したがって、解決するためには心を研ぎ澄まし、プリミティブな倫理でいいから心を浄化する。美しい心を行動規範にし、判断基準にし、価値観にする人たちが出てくれば、この世相も変わるはずです。そういう人間の心の規範になるべきものを、身近なレベルで再構築しようというのが、今回の対談の大きなテーマです。

幸福への道

今こそ、われわれは国内問題も国際問題も、「人のために、世のために」という利他の倫理観、価値観を呼び起こして、それに基づいて行動し、思考するようになるべきだと私は思っています。同時に、それはたいへん難しいことだとも感じています。

実は、混迷の度を深めているのは日本だけではありません。たとえば、アメリカでも離婚が増えて家庭が崩壊し、学校教育も特に公立の小学校、中学、高校の教育が荒れて留まるところを知らない。共産主義の崩壊したソビエト・ロシアだけでなく、実はその資本主義社会も崩壊寸前にまで荒廃しきってしまっているのです。

これまで形而上学的な価値観を支えてきたのは宗教でしたが、その宗教が衰えています。キリスト教も、ヨーロッパ、アメリカでだいぶ衰退していますし、日本では既存の宗教が冠婚葬祭の業者と化し、倫理観というものを再構築していく力をなくしています。ですから、われわれは宗教に頼るわけにもいきません。

では、どうしたらいいのか。一つのヒントを与えてくれる例があります。アメリカで『ザ・ウェイ・オブ・ハッピネス』（幸福への道）という題の冊子があります。これはある人が自費で刷り、配っているものです。もし、この冊子に関心を示した人、あるいは企業があったら、それぞれが自分で刷って配ってくださいというのです。非常にささやかですが、そういう運動を起こしている人がいます。

この『ザ・ウェイ・オブ・ハッピネス』の活動の精神もさることながら、そこで取り上げられている倫理観、価値観というものの性質に、私は共感を覚えます。そこに載っている倫理は、今まで言い古されたようなもの、言われてみればみんなが知っているようなありふれたものばかりです。バイブルも失ってしまった迷える羊に、行動の指針になるもの、価値観の基準になるべき基本的なものを示そうということなのでしょう。たとえば、「あなたのその仕種一つによって隣人が不愉快な思いをする。そういうことはやめましょう」というような、まるで小学生に説くようなことが具体的に書かれています。そして、全編を通して感じるのは、「利他の精神」です。

これまでは中国古典等、ずいぶんと難しい学問、哲学を引っ張ってきて、われわれは教育を考えてきましたが、今やそういうものは必要ないと思います。見直すべき対象はおじいちゃん、おばあちゃんに教わった教訓、倫理観であり、今こそそこに盛り込まれた利他の精神をもう一度構築すべきなのです。

「そんな小学生に言うようなことを今更言ってどうするのだ」と思われるかもしれません。しかし、子供に教えるような倫理すら、現代の大人はわきまえていない。わきまえていないどころか、それをわきまえようとする意識さえない。そこに荒廃の原因があると考えて間違いありません。そして、この日本の荒廃の原因というのは、資本主義社会全体の荒廃の原因でもあります。

私は、たまたま梅原先生という素晴らしい歴史観を持った哲学者と話し合う機会を得ました。これまで一介の経営者として、寝食を忘れてビジネス、研究に取り組み、その活動を通じて人生を一生懸命に考えてきた人間として、非常に有意義な経験だったと思っています。ここで議論したのは、今のわれわれに何が必要かということです。それは現在の日本の混迷を救う根本的な道は何かということであり、同時にそれは現在直面している資本主義の崩壊、文明の崩壊を防ぐ方策の模索でもありました。

人類としての行動の指針になるべき倫理とは非常に簡潔で明瞭なもの、子供に教えるような倫理観だと、今回の議論を通して私は感じました。単純でありながら宇宙の摂理に合致した倫理観、そういうものが今のわれわれに必要であり、それは天から与えられるものではなく、われわれ一人一人が自分の手で再構築していかなければならないのではないかと、私は思うのです。

第二章 資本主義の倫理と独立自尊の精神

マルクス主義の崩壊がもたらした影響　梅原

現在の日本に蔓延している自信喪失ですが、そのそもそもの始まりはベルリンの壁が壊されたことにあると思います。率直に言いまして、ソビエト連邦をはじめとする社会主義の社会が崩壊したことは、やはりたいへん大きな歴史的事件でした。われわれは多かれ少なかれ、マルクスの思想の影響を受けています。つまり、社会主義社会が資本主義社会を克服した理想の社会であるがごとき教育を、どこかで受けているのです。しかし、理想の社会であったはずの社会主義社会が、理想の社会どころか、実際はたいへん貧しい社会であった。貧しいだけならまだしも、それは資本主義社会よりも不平等な社会であり、しかもきわめて抑圧的な社会であったことがわかりました。

その理想と思われた社会主義社会が見事に崩壊しました。これによって、少なくともマルクスの思想に基づく社会主義社会は人類の理想社会であるという考えは通用しなくなりました。よほどうまくその理論を組み直せば話は違ってくるかもしれませんが、とにかく二十世紀をリードしてきたマルクス主義の思想は、一応、大いなる幻想であったということが明らかになったと思います。

この社会主義の崩壊が起こったとき、アメリカの政治学者であると同時に思想家でもあるフランシス・フクヤマ氏という日系人が、「対立の時代は終わった」と言いました。ちょうどヘーゲルの哲学において、「絶対精神という、対立を克服した時代が最後にくる」と言っているように、フクヤマ氏は資本主義と社会主義の対立は克服され、今や「資本主義万歳の時代がきた」と言ったのです。そして、彼は社会主義社会の崩壊をたいへん喜び、資本主義の繁栄は疑いない、というような議論を展開しました。

それから五年程の時間がたっていますが、フクヤマ氏の言うような「資本主義の繁栄は疑いない」という状況はいまだ出現していません。むしろ社会主義社会崩壊以後、資本主義の裏側というものがだんだん表に出始めていて、マルクスが欠点として挙げた資本主義の暗黒部が、次々と人の目にさらされています。

しかし、そのように資本主義の暗黒部が人の目にさらされているとしても、もはやわれわれは社会主義を目指すことはできない。少なくともマルクス主義に基づく社会主義社会がとても理想の社会といえないことが、骨身にしみてわかっているからです。では、どうすればいいのか。ここに、現在の日本が抱えるもっとも大きな問題点があります。このような状況においては、今の資本主義の暗黒の面を救う、「新しい資本主義」というものを考えざるを得ないと、私は考えております。

資本主義に求められる倫理　稲盛

今、梅原先生がおっしゃったのは「正しい資本主義」のことだと思います。

近代資本主義は「利潤の追求」を主題にして発展を遂げてきたわけですが、日本の場合は古来、「人本主義」とでも表現できましょうか、人間を基にするという経営の行き方がありました。私は、利益を追求することが必ずしも悪いことだとは考えていませんが、今、求められている資本主義というものでは、獲得した利益をどのようにして散財するか、が大きな問題になっていると思います。それは社会のため、家のため、人のためだろうと思いますが、まず最初のステップとしては従業員、株主であり、同時にお客様に対する利益の分配が大切でしょう。それが実行できてさらに利潤があれば、もっと広い意味の文化であるとか、または社会であるとか、そういうものに対する貢献、援助に充てられるべきです。

ただし、こういった倫理的な資本主義が従来にはなかった、まったく新しいものというわけではありません。かつて非常に素晴らしい倫理観に裏づけされた資本主義が存在しています。たとえば、ドイツのマックス・ウェーバーが説くプロテスタンティズムをベースにした資本主義勃興の時代には、厳しい倫理観に基づく資本主義が存在したと、私はとらえております。その資本主義が進化するにしたがって、プロテスタンティズムのような厳しい倫理観が希薄になっていき、いわゆる「儲ければいいんでしょう」という姿になってしまったように思います。

もともとの資本主義は世の中の役に立つことを目指して行われていたのですから、まずは「その原点に帰りましょう」と考えればいい。そして、それをベースにして、初期の頃よりもっと優れた「新しい資本主義」をつくっていくよう、努力すべきでしょう。やはり、元に帰っただけでは進歩がありませんから、頽廃している現在は原点へ帰って一度基本の形を復元させ、そこから

「新しい資本主義」へと進んでいく。そうすると、いい知恵がわいてくる可能性は非常に高いと思います。そのためには、資本主義の担い手である産業人、企業人たちに、もっと広大な哲学をもってほしい。そういう力がこれからは重要になってくるという感じがしています。

また、倫理観に基づく資本主義というものは、ヨーロッパだけにあったわけではなく、日本にもきちんとしたものがありました。それは封建時代において、つまり江戸時代の日本において資本主義の萌芽が見られた頃、倫理的な商人のあり方が説かれ、それが商人の間に広がっていったのです。

言うまでもないことですが、江戸時代の頃は士農工商という階級制度があり、商業あるいはビジネスをする人間は階級が低かった。たぶん、当時の商いというのは、「うさんくさい」という感じがあったのでしょう。そういう時代に、京都の亀岡の人だったと思いますが、石田梅岩という人物が登場しました。梅岩は京都・室町の呉服屋で手代になり、とても苦労しています。そして、四十歳を過ぎてから忽然と禅僧とのつき合いを始め、在家の身で座禅などの若干の修行をしました。その結果、彼は悟りを得た。そして、「石門心学」と後世でいわれているような塾を開きました。

石田梅岩が言ったことは、「商いというのは卑劣な行為ではありません。人間の行為としていちばん下劣なものでもありません。利潤を得ることは素晴らしいものなのです」という哲学です。近代資本主義で言うところの「利潤追求」は罪悪ではないと、封建制の当時、梅岩は主張したのです。身分制度があった時代に、「商人が利潤を得ることは、あたかも武士が禄をもらうのと同じで、本質的には何も変わらない」と説き、それまでうさんくさく思われていた商業行為に自信をもてと、商人たちに向かって言ったわけです。梅岩は「素晴らしい商業競争をやるべきだ」と言っていますから、すでに日本で近代資本主義の芽が出ていたと見ていいでしょう。

この梅岩の教えのなかで大事なことだと思うのは、「商いは正直にすべきだ」という点です。卑怯な振る舞い、不正な振る舞いがあってはならないということを、梅岩は言っています。「自信をもちなさい」「正々堂々たる商いをしなさい」と言った彼は、商人たちに活を入れると同時に、商人たちに倫理観と哲学、つまり商人道を注入したのです。

ヨーロッパにおいてプロテスタンティズムという倫理観をベースにして起こった初期の資本主義と同じように、この梅岩の時代――日本の商業資本の勃興期のほうが、現在よりも苛烈な倫理観があったと思います。しかし、いまやそれが失われてしまっています。そこに現代の日本における資本主義のあわれさみたいなものがあると、感じられてしかたがないのです。あの頃の資本主義の精神がそのまま継続していれば、この前のバブル経済も、政界の不祥事も、証券会社の不祥事も起こらなかったはずです。

利潤追求が自己目的化した資本主義　梅原

稲盛さんがおっしゃるように、初期の資本主義にはマックス・ウェーバーが言ったプロテスタントの精神がありました。片一方にバイブル、片一方に算盤というニュアンスで、バイブルは算盤を抑制し、算盤だけの勘定でビジネスは動かない。やはりある種の倫理的抑制が働いていたと思います。

ところが、その資本主義が発達すると、いつの間にか、利潤追求が自己目的化してしまった。マルクスが批判したのは、まさにその資本主義——利潤が自己目的になった資本主義でした。だから、資本主義の経営者というものは、すべて悪玉であるという前提の上に理論ができています。そして、社会主義になったならば、途端に人間は立派な人間になれるというのがマルクスの考え方です。しかし、制度が変わっても人間が立派になるわけではありません。女好きの人間が社会主義になっても同じく女好きであるように、自分の権力をふるうことの好きな人間は社会主義になっても権力をふるう。しかも、社会主義においては、この権力を抑制する方法がない。権力者は英雄となり、しかも金も一手に集まる。スターリンなんかがその例です。昔はスターリンは英雄ですが、今はほめる人はない。結局のところ、人間の根本的改造は不可能で、社会主義になると、かえってひどく悪い人を出現させる。

したがって、社会主義という選択肢は却下せざるを得ません。となれば、資本主義をどうにか改造していかなければならない。資本主義が初期の頃にもっていた倫理性を改めて確立することが、唯一の選択肢です。マルクスのように別の社会をつくるというのは無理なのですから、いまの資本主義を倫理化していく。このために私たちは最大の努力をしなければならないと思っています。

日本における商人の倫理観ということでは、伊藤仁斎（じんさい）という人物を挙げておきたいと思います。彼は石田梅岩より一代前の元禄期の人です。京都の儒教倫理を武士のものではなくて、町人のものにしようとしたと言っていい儒者です。

仁斎の教えを古義学と言うのだけれども、これはただただ昔へ返れと言ったのではありません。仁斎は、縦社会の倫理ではなく、平等の倫理としての「町人の儒教」を成立させようとしたと、私は解釈しております。つまり、「忠」「孝」という縦社会の倫理より、「仁」「誠」「愛」という横社会の倫理を中心に据えて、儒教を考えようとしたのです。だから、すでに工、商で構成される町人社会を、儒教で感化しようという方向性が出ていたわけです。これは徳川時代の儒学で独創的な思想家だと思います。

仁斎の教えで面白いのは、結婚以外のセックスはよくないけれども、結婚したらセックスはかまわないと考えた点です。儒教というものでセックスをまったく倫理的に抑制するというのは人の性に合わない。だから、色情を制度の中で肯定したほうが自然だという考え方です。これはややもすれば、禁欲的すぎて、とても商人の倫理になれそうもない儒教の教えを商人に適するようにしたものです。そして仁斎自身も、前妻と後妻の間に九人か一〇人かの子供をつくった。武士の都である江戸にはないけれども、京都にはそういう商人の伝統があったという見方もできます。そして、そういう伝統から石田梅岩が出てきたという気がします。

伊藤仁斎、石田梅岩から時代は下って、幕末・明治を生きた福沢諭吉も、やはり初期段階においての資本主義の倫理を説きました。それが独立自尊の倫理です。しかし、そこから現在に至るまでに、倫理と資本主義の間に著しい分離が起こってしまった。資本主義が発展する過程において、だんだんと倫理がどこかへいってしまって、金儲けだけが全部ということになっていったのではないかと思います。現在の混迷している世相は、その原点まで帰るべき時期がきたことを告げているのではないでしょうか。

実業人として必要な四つの条件　稲盛

実は、福沢諭吉の言葉で私が常に心して読んでいる言葉があるのです。

「思想ノ深遠ナルハ哲学者ノ如クニシテ、心術ノ高尚正直ナルハ元禄武士ノ如クニシテ、コレニ加フルニ、小俗吏ノ才ヲ以テシ、更ニコレニ加フルニ、土百姓ノ身体ヲ以テシテ、初メテ実業社会の大人タルベシ」

これは、実業社会の大人になるべき人というのはどういう人物なのかを、福沢が説明した言葉です。

まず、哲学者がもつような深遠なる思想をもたなければいけない。そして、元禄武士がもっていたような美しく気高い心がなければいけない。三番目にくるのが「小俗吏ノ才」です。江戸時代の木端役人が袖の下ぐらいもらったような、気の利いた悪賢い才覚を福沢は「小俗吏」と言っているのですが、そういう「小俗吏ノ才」をもっていなければならない。最後に、農民のような「頑健さと粘りの意志」がなければいけない。この四つをもたなければ、実業界の成功者にはなれないと、福沢は言っています。

内容も得心がゆくのですが、この順番がまたふるっていると思います。第一に哲学者がもつぐらいの深遠な思想をもたなければいけないということ、二番目が心根が必要だということ、三番目が才覚で、最後に頑張らなければいけない、というのですから。私は、福沢諭吉を偉い男だと思います。明治になって、最初に欧米の資本主義社会を見にいって、欧米の実業人というのはこうだぞと、日本に帰ってきて言っている。あの当時は精神的に純粋なのでしょうね。だから、才覚とか商才というのは三番目にくる。ところが、今、日本の実業人はそれが第一に上がってしまい、あとは四番目の「頑張る精神」があるくらいで、肝心の「哲学」と「心根」はどこかに置いてきてしまいました。福沢の言う第一、第二の条件を、ビジネスに携わる者は取り戻すべきです。

もっとも、この問題はビジネスの世界に限ったことではないでしょう。学者にしても、学問の世界で頭がよいという才覚はあっても、あるいは学問の世界での努力はあっても、哲学や心根がなくなった人が多いのではありませんか。

頭がよくて学問の道でたいへんすぐれた論文を書いたとかいうことで立派だとされ、そして努力している人がいる。ところが、心根が曲がっていたり、哲学らしいものはかけらももっていないというケースを、私は知っております。

そういう学者に限って、非常に威張っていて、われわれがつき合うときに、箸の上げ下ろしまでけちをつけて怒られたりする。その人の学問のレベルの高さには敬服するし、尊敬もするけれど、箸の上げ下ろしまで文句を言われる筋合いはない。でも、威張るのです。そういう「偉い学者」が少なくないようにも思います。

学者の方々が実業界を蔑視してしまいがちな背景には、士農工商思想の影響を感じます。たとえば、いまでも企業と学者とのジョイントに対して、学者のほうに偏見があります。つまり、日本の大学は民間とのジョイントに罪悪感をもっている。その罪悪感の元にあるのは、「われわれ学者はきれいであり、民間の財界人は汚い連中だ。その汚い人間が貯めたお金で、われわれの学問を汚されてたまるか」という考えなのでしょう。

これは士農工商の思想で「商」が卑劣でうさんくさい低級なものとされた残骸が残っているからではないのでしょうか。それが「学」と「財」との間での協調を妨げています。

先ほど、石田梅岩の主張を紹介しましたが、梅岩の言うように商人が利益を得るということは、官吏が給与を受ける、あるいは武士が禄をはむのと何ら変わるところはありません。それがなぜ卑怯なのか、なぜ悪いのか。もし、ビジネスに従事している者が非難されるとすれば、その商行為が正直でなかったとき、あるいは不正が行われたときです。そうでなければ、非難されることなどないはずです。

利他の精神が求められる時代　梅原

現代の日本において、福沢諭吉の言う条件のうち、哲学と純粋な心の二つが抜けている。順位で言えば、一と二が抜けて三、四だけがあるというのは、私も同感です。

特に、高度成長期から現代に至るまでの期間で、一、二がまったくなくなって、才覚と頑張りだけになったようにも感じます。一、二のことはまったく考えずに、ゴルフで体力をつくり、マージャンで才覚を養い、あとはカラオケで……。そういうことをやっていて、頭はからっぽ、倫理観はゼロという人が活躍したりします。情けないことです。美しい精神がなかったら、人間としての品位がないということになりますから、これは悲しい事態です。

それから、学者の中に哲学も品位もない人がいて、やたらに威張っているというのはおっしゃるとおりです。しかし、本当の学問はそんな人ではできません。一時代を風靡することはできるかもしれませんが、死んでしまえばすぐに消えていくでしょう。死んだ後になってまでいろいろ議論されるような学問をつくるには、四つの条件のうちの第一、第二の条件がないとできないと思います。

また、学者の品位というのは、稲盛さんがおっしゃったような「実業家が汚れた人間だと考え、実業家とつき合わない」というのとは別問題であることは明らかです。しかし、それが品位だと考えている学者がいるのも事実です。

実は、学者の世界で「汚れた人間」の範疇には経済界の人だけでなく、政治家も入っていまして、政治家や実業家は汚れた人間だ、だからつき合ったらいけないという空気が、日本の学界には強い。これは老荘思想の影響で、老荘思想にマルクス主義がくっついていると考えていいでしょう。ですから、産学協同というと、すぐに汚れた人間と組むのはよくないというわけです。マルクスのタブーはなくなったけれども、老荘思想のタブーはまだ残っているのです。

老荘思想には好ましくない面もあります。私は個人的には老荘思想は好きなのですが、権力に近づくのはよくないという点に、現実的ではない規範が出てきてしまうところが欠点だと思います。中国や韓国は違います。韓国は本質的に儒教ですから、学者は必ず政界に出る。内閣には必ず二人や三人の学者がいます。そして、閣僚を辞めたら、大学はこれを迎え入れる。アメリカでもそうです。しかし、日本では政界に足を踏み入れたら汚れた人間で、二度と大学へ戻れない。これはやはり困ったことだと思います。日本においては、実践的知恵と学問が別のものになってしまったというような気がして仕方がありません。

中曽根康弘・元首相に直訴して、国際日本文化研究センターがつくられたので、私などは、ずいぶん悪口を言われました。政治家と交渉しただけで悪いやつだと。では、学者がどれだけきれいなのかということになると、だいたいは心の中で「なにかうまいことないか」「どこかでうまいめにありつけないかな」という気持ちがあるのだから、おかしな話です。多くはコップの中の研究室での人事その他の争いにうつつをぬかし、規模は小さいが政治家なみの派閥争いに明けくれています。

私も長年学者生活をしていますが、一部の人をのぞいて学者が実業家や政治家よりはるかに高潔な人間であるといえる人は少ないように思います。

ただ、これまで実業家や政治家とつき合った学者たちに、悪い人が多かったということも影響していると思います。私欲を図るだけのために政治家とつき合った学者もいるのです。そういう人を見ていると、やはり政治家とつき合うのはやめろというふうに考えても無理はないと思います。しかし、世の中をよくするのは、学者だけではできません。やはり政治家、実業家の力を借りて、初めてできる。本当に世の中をよくしようと思ったら、自分の利益ではなくて、日本やひいては人類のために政治家や実業家に力を借りるべきだと、私は思います。

私にしても、政治家に頼んだことが間違いだと思いません。もし、頼まなかったら、国際日本文化研究センターはできなかった。世界中の学者が日本研究をするのに便宜を図り、日本の文化を世界に知らせるインターナショナルな機関ができたことはよいことだと思っています。そして、現実に、外国の学者が来て喜んでいます。外国の研究者で、「こんな極楽はない」と言って帰っていく人があります。その言葉を聞いて、私はつくってよかったと思っているのですが、その場合に私が政治家とつき合うのはけしからんというタブーに支配されていたらできなかったと思います。

稲盛さんがそういう厳しいご指摘をなさるのは、きちんと哲学をもっていて、心情に純粋なものがあり、さらには実際にやるべきことをやっているからだと思います。これはたいへん大事なことだけれども、立派なことを言う人はたくさんいますが、実際にそれを行っている人がどれだけいるのかというと、あまり多くはいない。

ここで私は今、労働というものを根本的に考え直すことが必要だと思います。マルクスは生産とか労働ということをその人間観の中心においた。それは正しいのです。マルクス主義は間違っていたとしてもこれはマルクス理論の中のもっとも正しい部分です。ところがこの労働の把握が間違っている。労働の観念に含まれた自利利他の契機を見失っていると思う。われわれは働いて月給を得る。何のためか、まずわれわれがそれによって生活をするためです。うまいものを食べ、よい衣服を着て、よい家に住むためです。その意味で労働も自利のためです。

しかしそれだけでは、ありません。われわれの妻を食べさせ、子を養うためです。その意味で労働にも最少の利他の契機が含まれます。働いて、お金を儲けて、まず家族を養う。これは最初の人間の愛です。鳥の親が苦労して餌を集めてきて子供にやる行為に比せられるべきですが、生物とは本能的に利他の生活をしているのです。それから、会社が儲かるよう、会社の人すべてが生活の成り立つように働く。それもただ食えればいいというのではなく、人間らしい生活をさせるということになると、これはたいへんなことです。

家族に対する利他がいちばん手近ですが、会社の人に人間らしい生活をさせるというのは、もう一つの高い次元の利他でしょう。ところが、それだけではいけない。やはりもっと大きな、国をよくする、あるいは人類のためになる、そういう第三、第四の利他を実現できて、初めて労働という行為が生きてきます。このことを根本的に考えてみなければいけない時代になっています。

すでに家族のため会社のために金を儲ける、利潤を得るということは、利他が含まれているのです。それが第一、第二の利他であり、第三の利他になれば倫理的な規範を意識のうちに含んでいなければできません。稲盛さんがされていることを見ると、お世辞を言うわけではないけれども、そのすぐれた商品を作るという点でやはり社会に貢献していると思います。その利益をこれからも続けて社会に還元していくとすれば、第三、第四の利他行を行っているわけです。こういう行動によって、初めて今の時代を自信をもって生きることになるのではないでしょうか。

自分だけがこの世の中で生きているわけではないということ、そして金儲けに倫理的契機が入っているということ、その倫理的契機、利他の契機を増大させること、こういうことから、「新しい資本主義」がスタートするのではないかと思います。

産業人がバイブルにしてもいい言葉　稲盛

利潤追求の中に利他がなければならず、同時に利潤追求は利他のための手段である。したがって、利潤を追求するには方法があって、何をしても儲かればいいというのではない。この梅原先生の言葉は、われわれ産業人のバイブルにしてもいいくらい素晴らしいと思います。

しかし、梅原先生がおっしゃったような「利他」ということを、今の企業人、産業人が規範にして生きているかということについては、大いに疑問です。それでも、先ほど言いました正直にビジネスをすること、不正をしないということを守るならば、日本の資本主義の未来はまだあると思います。たとえ、これまでやってこなかったとしても、痛烈に反省をすれば、未来はあります。

今の梅原先生のお話で思ったのは、二宮尊徳のことです。私も不勉強で、二宮尊徳というと、薪を背負って本を読みながら歩いたという、小学校の頃に教わったイメージしかありませんでした。ところが、内村鑑三が明治時代に書いた『代表的日本人』という書物では、日本人を欧米人に紹介しようとしたときに、西郷隆盛、上杉鷹山などと共に尊徳を書いています。その中に書かれている尊徳は、まさに「利益を得るにも方法がある」とした人です。

江戸時代の末期、働くことを忘れて荒廃した村を、二宮尊徳は鍬一本、鋤一本で再建しました。この村の荒廃というのは、単に経済的な荒廃ではなく、村人の心の荒廃と経済的荒廃とが一緒になっていたと尊徳はとらえていました。そして、再建の柱に彼が「道徳」と呼ぶところの倫理性を重んじ、正直を貫いて働くことに力を注いだのです。江戸幕府の代官などに対しても、卑劣な代官にはたいへん厳しいクレームを彼はつけています。

二宮尊徳を見ると、そこには非常に強い倫理観が感じられます。それは江戸時代の日本にあった儒教がベースの道徳観でした。そこをすべての行動の起点とし、そこから一歩も逸脱しないで、村民を叱咤激励し、鍬一本で村を立て直していった。あの当時、たくさんの村を再建するのに、尊徳は何の奇策も工業力も使っていません。ひたすら人力で、荒廃して餓死寸前の村を豊かな経済的に富める村に変えていった。それも一つの地域ではなくて、いろいろなところから請われては赴き、各地で一生懸命に再建を進めています。この尊徳の人生は口先でなく実践によって、道徳という道で利益を得る方法があることを示しています。つまり、勤勉であり、正直であり、誠があるところに繁栄が生まれるということです。

独立自尊の人が少なくなっているのは大きな問題だ　梅原

確かに、伝統的な商業倫理を日本人は忘れてしまっています。わずかに近代人の中で商人すなわち実業家の倫理を説いたのは福沢諭吉だろうけれども、その福沢についても、その倫理という点では現代人には十分わかっていないところがあります。

福沢諭吉は独立自尊ということを強調しました。福沢は自分の足、自分の思想で立っている独立自尊の人間がいないと、資本主義の近代社会は不可能であると考えました。確かにそのとおりです。しかし、日本は近代化したのに、独立自尊の人間がだんだん少なくなっているような気がします。近代化には独立自尊の人間が必要であるはずなのに、近代化を進めてきた日本で独立自尊の人間がだんだんいなくなってきた。これは非常に深刻な問題ではないでしょうか。

独立自尊の人間とは、「哲学」をもっている人です。哲学といっても、別にむずかしい哲学が必要とされるわけではありません。自分の生き方を確立しそれを原理的に説明できるというのが、ここで求められる「哲学」をもった人です。要するに、自分の生き方の原則をきちんと自分でもっているかどうか、ということです。

明治以降、近代化が進むにつれ、かえってそういう哲学をもった人が少なくなってきました。日本は一応、近代化に成功したけれども、独立自尊の精神の人がいなくなったのです。森鷗外は二本足で立てと言いました。その足は一本は東洋であり、もう一本は西洋です。そういう二本足の東洋と西洋の教養をもった独立自尊の人間こそが、これからの日本人のあり方だと言っていますが、そういう二本足で、自分の足で立っている人間が明治時代より今の時代のほうが少なくなっている。私はこの事態を心から憂えています。

「長いものには巻かれろ」では民主主義社会は成り立たない　稲盛

現在の日本というのは、まさに独立自尊を失ったところで生きていると思います。言葉が悪いかもしれませんが、「長いものには巻かれろ」という処世術が主流になっている。言い方をかえれば、「和を貴ぶ」という理念のもとに、大勢の意見に従うのが正しいとされている。そこで独立自尊などということを言うと、「異端」になってしまう。何か自分の意見を言うときでも、このくらいは許せるという程度にとどめ、あとはすぐに妥協する。「長老の言うとおりです」と言わなかったら、「あいつはけしからん」ということになる。おそらく学術の世界でも、経営の世界でもそうだと思います。

しかし、民主主義の社会というのは、あくまでも自分の説を主張しなければなりません。もちろん、多勢に無勢であれば多勢に従いますが、自分の説は曲げなくていい。「皆さんがいいとおっしゃるのなら、それに対しては反対しません。大勢の意見には従いますが、私はマイノリティの意見であったにしても、意見は変えません」というのが本当のあり方です。しかし、日本は自説を変えなければいけない。もし、「私の説は変えません」と言ったならば、村八分にあう。独立自尊は近代社会を成立させるために必要であるはずなのに、それを日本の社会が異端としてしまうのでは大いに困ります。

独立自尊という福沢諭吉が言った精神は、梅原先生がおっしゃったように、非常に大事なことだと、私も思います。日本型資本主義というものの未来を案じる、あるいは近代文明は大丈夫なのかと考える場合に、独立自尊という問題を落としてはいけないと思います。

福沢諭吉の言葉に、「独立ノ気概ナキ者ハ、国ヲ思フコト深切ナラズ」という言葉もありますが、まったくその通りの状況に今の日本はなってしまっています。一人一人に独立の気概がない。だから、国、つまり公のことを思っていない。そこに、稼ぐ方法を選ばない行動が生まれる土壌があるのではないでしょうか。

「和を以て貴しとなす」の本当の意味　梅原

私も独立自尊でやってきて、異端者と言われ、だいぶん苦労しましたが、稲盛さんも異端者のようですね。円高に対応して日本企業は値上げせよと言い、物議をかもして、経済界で意見が二分したくらいですから。

これは日本人全般について言えることですが、独立自尊の精神がないから、いつも人の顔を見て行動するわけです。人の顔を見て、多数のほうへついていくというのは、結局、自分のことしか考えていないということになります。そのほうが無難と言えば無難でしょう。しかし、聖徳太子が言った「和」というのはそうではありません。聖徳太子の「和を以て貴しとなす」というのは、和があれば議論ができるということです。議論があれば、理が通っていく。したがって、事は必ず成功する。これが「和を以て貴しとなす」であるわけです。会社でも本当の「和」があれば、社長と社員がどんどん議論できる。それが「和」です。

そこを日本人は誤解しています。今の日本で言われる「和」というのは、聖徳太子の「和」ではなくて、議論で対峙したら、足して二で割っておこうとか、まあまあで済まそうとかいうことです。これでは無難かもしれませんが組織は発展しないと、私は思います。たぶん本田宗一郎氏は社員と議論し、喧嘩して、ホンダをつくっていったのでしょう。それが「和」です。そういう激論の中で会社が運営され、ホンダは国際的な企業にまで成長しました。そうでないと会社は伸びないと思います。

会社の中で議論ができれば、外に対してもどんどん意見が言えるものです。しょっちゅう議論をしていれば、たとえばアメリカの態度に対しても「それは間違っている」とか「それは正しい」という議論ができるはずです。ところが、日本では普段、議論していないから、外に対してものが言えない。言えないから困るんです。自分の文化、思想の原理を説明できない。これはたいへん困る。これからはどんどん独立自尊の人間が出てこない限り、欧米とやってはいけません。競争ができないと思います。

この点については、私はヨーロッパ主義者ですが、自分の行動について、きちんと説明できないような人間は国際社会でやっていけません。国際社会で生きる能力というのは、英語ができるかどうかではなくて、「自分の原理」を説明できるかどうかということです。基本的にはそうなんです。それができれば、国際的に通用するわけです。

議論ができない、自分の原理が説明できない、これは日本人の欠陥だと思います。それは日本の教育の欠陥でもあるでしょう。教育ということを後ほど議論したいと思いますが、私たちはもう一回、基本からやり直さなければいけないということを、ここでは言っておきたい。

明治時代になって、一つの哲学をもち高潔な志をもった産業人や政治家があったと思いますが、戦後になってそういう人が急速に少なくなった。明治時代にはまだ長い間日本人の心の糧となった儒教や仏教が残っていたと思います。たとえば、あの近代的倫理を説いた福沢諭吉や、キリスト教を説いた内村鑑三の中に、かなり強い儒教が残っています。福沢諭吉の独立自尊も上下関係を否定した近代的儒教的人格倫理といってよいし、近代日本の代表的クリスチャン内村鑑三のその人生にも厳格なる儒教倫理の強い影響が見られます。また近代日本の代表的マルクス主義者である河上肇には仏教の無我の思想の影響があります。哲学者でいえば、近代日本の代表的な哲学者を西田幾多郎と和辻哲郎とすると、西田は仏教、和辻は儒教の影響があります。

つまり明治の日本人はまだ前代から受けついでいる強い儒教や仏教の倫理の影響を強く受けています。ところがそれが戦後になるとだんだんなくなっていった。つまり近代日本人の道徳は、儒教や仏教の遺産で保たれていたわけです。その遺産を今や食いつぶしてしまったというわけです。

ここで話題をちょっと変えます。

私は詳しく知っているわけではありませんが、京セラという会社は今のような時代に利潤を上げていると聞いています。これは驚くべきことだと思います。しかし、稲盛さんが悪いことをしているとは思えない。先ほど、話に出たように、稲盛さんはある理念をもっていて、たとえ人に同調したとしても、自分の意見を捨てず、自分の意見を貫いたという。おそらく日本経済への展望が普通の経営者とはまったく違ったのではないのでしょうか。そのため、固定観念から自由になっていて、これからはある商品が絶対に必要なのだということを予言し、その通りになったのではないかと思いますが、ご自分としてはいかがお考えですか。

こんな質問をするのも、先を見通す経営の秘訣を教えていただきたいと思うからです。もっとも、これは稲盛さんから秘訣を聞き出しても、誰でも簡単に真似ができるものとは思いませんが。

「自分の利益」にこだわっていると先は見えない　稲盛

自慢話になってしまってはいけませんが、つい先日、日本で有名なある政治評論家の方の会に顔を出しましたら、その方が、「稲盛さん、この前もある経営者の団体で話をしたときに、あなたの話題が出たんですよ」とおっしゃった。たまに顔を合わす程度しか話をしない方がそうおっしゃるので、「どうしてですか」と尋ねたら、「みんなが、あなたは遠視鏡を持っていると言っていました」と答えられた。遠視鏡とは何かと聞きますと、遠くが見える眼鏡、望遠鏡のようなものだそうです。そして、その方はこんなことをおっしゃった。

「あなたには先見性があるそうですね。一〇〇人の人間が見ることのできないはるか先を見ているので、あなたが何か事を起こすと、一〇〇人共にあとをついていくのがやっとだそうです。そして、一〇〇人が見えないはるか先のことも言うので、何が何だかわからない。結局、あなたのあとから走っていかなければしょうがないのです、とみんなが言っていました。どうすればその一〇〇人が見えないほどの先が見えるのですか」

「そんなところまで見えるわけがありません」と笑ってその場を済ませたのですが、その晩、私も気になって、自分で考えてみたのです。一つだけ、解らしきものがわかったのは、自分の事業、自分の利益にこだわっていると、見えるところに限りがあるということです。自分の周囲の狭い領域までは見えるのですが、ある広がりから先は見えない。ところが、利己というか、自分の事業、自分の実活動と離れてしまうと、視界というのは実は何倍も広がります。自分のエゴを払拭してものを考えようとしていることが、私の視野を広げているのかもしれないと気がついたわけです。

「おれがおれが」と思っていると、非常に矮小化された世界に自分を閉じ込めてしまう。逆に、「自分」というものから離れてしまえば、自然に世界観も宇宙観も変わるのです。己から離れると、実は己にプラスになるようなことが見えるのであって、己にこだわっていると本当の世の中の姿が見えないまま終わってしまうのではないかという気がしました。

それは事業展開や事業計画を考える場合でも同じです。たとえば、第二電電（現・ＫＤＤＩ）

に関して、「五パーセントの確率で成功しましたね」とみんなが言います。はたから見ると、「あんな危険なことを」というふうに映るのでしょう。だから、「あなたはよくやったものだ。ここまで成功したのはよかったですな」と言うわけです。しかし、私にしてみれば、九〇パーセントの確率で成功すると思っていたのです。

空海が伝える大日如来の視座で見る法　梅原

空海がこんなことを言っています。

「小我にとらわれているからものが見えない。だから、自分は大日如来（にょらい）と一体化する。つまり、宇宙の生命と自分が一体化する。そのときに大日如来が自分に入ってくる。それが大我だ。大我の立場に立ったら、ものがはっきり見えてきて、そしてふつうできないと思うことができる」

これが密教の教えです。小我にとらわれるな、そして大我の立場で――大日如来の視座で――見ると、ものがはっきり見えてきて、事がうまくいく。

本来、加持祈禱（かじきとう）というのは、大日如来の力が人間の力に加わってきて、人間がそれをじっと支えているということです。つまりそれは宇宙の眼でものを見たら、ものがはっきり見え、事がうまくいくということです。だから空海の加持というのは迷信的なまやかしではないのです。

稲盛さんのおっしゃったことは、とらわれない心だから見える――空海の言う大日如来の高さに立つとすっと見えてきて、知恵が浮かんでくる――ということではないかと思います。

ただ、あまり遠いところを見ていると、世の中と波長が合わないものです。いま流行っている評論家というのは、だいたい三歩先を見ている。その辺りがちょうどいいのです。一〇歩先、二〇歩先を見ていると、社会とテンポが合わなくなります。ですから、いちばん成功する人は三歩先を見ている人です。ただし、三歩先を見ていると、しょっちゅう視点を変えなければいけません。その点、一〇〇歩先を見ていると、変えないでもいいわけです。

私なども、「梅原は危険なことばかりしている」「よくあんな危険な賭けに出たな」と言われるけれども、私にとっては危険な賭けでも何でもありませんでした。長い目で事柄を考えると、こういくよりしょうがないという結論に至る。つまり、私にとっては九〇パーセント確実なことなのです。それがほかの人から見ると、一〇パーセントの確実性しかない。だから、実際にやって成功すると、「あなたは運がよかったね」と言われるわけです。

稲盛さんの場合もそういうことなのでしょう。頭の中にいろいろな読みがすでにあり、稲盛さんの中では九〇パーセント確実なことだけれども、ほかの人が見ると、「なんて危ないことをするのか」と思われる。しかし、危険なことができるのは、欲がないからです。こだわりがない。そこが大事だと思います。

「純粋」であることは事業を成し遂げるために不可欠な動機　稲盛

欲がない、こだわりがないというのは、純粋ということですね。純粋であることは、ものを成し遂げる動機としては、必要欠くべからざる要素です。ある宗教家が、「結果ではない。行為の中の純粋さこそ大事なんだ」とおっしゃっていました。さらには、「人間というのは結果だけを重要視する傾向が強い。しかし、そうではありません。その行為をしているときの純粋さのほうがはるかに大事であり、同時にその純粋さがいい結果を招く」と言うのです。

ところが、世慣れた人は、「そうはいくかい」と思ってしまう。「あのワルが金を儲け、あの真面目な男がうまくいっていないではないか」と考えてしまう。純粋さでうまくいくとは思わない。確かに、その場では悪い奴が成功し、真面目な者がうまくいかないように見えるかもしれません。だから、「そんなことを言って、何年たってもうまくやっている奴はうまくいっているではないか」と言われるかもしれない。しかし、梅原先生でも私でもそうですが、二十年、三十年くらいのスパンで人間の人生を見ますと、悪い奴はやはりうまくいっていないのです。そして、真面目にやっている人は結局いい人生を送っているものです。

だから、私は、時間のファクターを考えに入れるべきだと思います。いかに賢そうにうまくやったとしても、二十年はもたない。それは学者でも実業家でも言えることだと思います。もちろん、その結果は二〜三年ではわかりません。短いスパンで見れば、ワルがはびこったりしますし、真面目な人がうまくいかないということはあります。それでも、二十年くらいのスパンで見ると、ワルは長続きしませんし、いい人がいつまでも苦労するようなこともありません。

ロンドンの町医者で聡明な人がやっている交霊会があったそうです。その記録が残っていて、いつもシルバーバーチと名乗るインディアンが霊媒に乗り移ってしゃべっていたという。それが日本語に翻訳されて十数冊、出版されているのですが、それを読んでみますと、シルバーバーチはよほど高級な霊だったらしくて、哲学的にも宗教的にも立派なことを言うんです。たとえば、こんなことを言ったのだそうです。

「今、生きている皆さんから見たら、ワルがはびこったり、いい人が不遇になったりしているでしょう。しかし私が今いるこの世界まで含めるとそういうものではありません。悪い奴は悪いように、いい人はいいようになっています。私はあなたがたの生きている世界からこの世界までを通して見えるが、そのような長いスパンで人間の人生を見ると寸分違わず、必ずぴたっと辻褄が合っているのです」

私は今まで純粋な思い、純粋な行為であれば結果は問わなくてもいいと考えてきました。純粋な行為、純粋な思いが大事だと思っているからです。それでも、経営をしていれば結果を無視するわけにはいかない。そういう場合は、五〇歩も一〇〇歩も譲歩して、二十年、三十年のスパンで見れば辻褄が合うだろう、という気持ちできました。

五十年のスパンでものを見よ　梅原

真面目な者が結果を出すには、実業界で二十年、学界で五十年はかかりますね。五十年というとだいたい死んでいますから、死んでいる世界から人間を見る。つまり、死んだ後で自分の学問が認められるかどうか、ということです。死んでから評価されるかどうかは、本来、学者、芸術家の楽しみです。

おっしゃるように、短期的に見ると、悪い奴が栄えているし、インチキなものが売れている場合が多い。しかし、長いスパンで見ると、わりに人間の受ける報いというのは公平ですね。五十年も人をあざむくことはなかなかできない。もっと言えば、五十年後の人たちをあざむくことは、きわめてむずかしい。やはり生きているうちはいろいろとしがらみがあったり、権力をふるったりしてごまかされるけれども、五十年たって人を見るときは、正当な判断が下されます。そういうことを稲盛さんはおっしゃっているのだろうと思います。

ただ、第二電電を例にしますと、あの事業を始めるときはものすごく反対が多かったでしょう。四面楚歌と言っても過言ではない状況だったように聞いております。それでも稲盛さんは一人で大丈夫だとおっしゃっていた。第二電電が成功するということを、稲盛さんだけが信じていたということです。同志でも成功するとは思っていなかった中で、迷いや不安はなかったのですか。

「動機善なりや、私心なかりしか」を反芻する　稲盛

それがないのですね。神に導かれるみたいに、迷いはありませんでした。反対があればあるほど確信を強め、力んで横へいくこともなかった。変なたとえになりますが、夢で見る景色と同じような感じだったのです。

夢の中に現れる景色の中には、何回も行ったことがあるように感じる景色がありますでしょう。夢の中ではまるで自分のふるさとに近いなつかしさを感じるような場所なのに、目が覚めると、その場所がどこかはまったく知らない。それと同じように、何回も通った道のような感じがあって、第二電電をつくっていくことに確信を持っていました。だから、不安も何もない。まわりがいくら不安だと言っても、私にとっては何回も通った道を歩くような感じがしました。

もちろん、事業の構想を着想したり、修正したりする中で、何カ月ものたうち回りました。日中考えて、夜寝るときに考えて、お酒を飲んで帰ってきたときにも考える。そのとき、自分で一生懸命反芻するのは、「この構想は、動機善なりや、私心なかりしか」ということです。別の私が、考えている私に、禅問答のように問いかけるのです。

「おまえは第二電電をつくりたいと言っているけれども、それはきれいごとではないのか。おまえの動機に私心はないのか」

ちょうど禅宗の修行で問い詰めるが如く、決断をするまでの数カ月、そのような問いかけを自分に行いました。そういう自分自身の葛藤の中で、ある意味では修行を経てきたのですから、実際第二電電を創業しても、それが何十回も歩いた道のように感じたのだと思います。

孤独に耐える力を持っているか　梅原

私が一人で本を書くときも、いろいろと考えているとわからないのが、ある日突然、太陽が入ってくるように見えてきます。ふっと光が見えてくるんですね。そのときはうれしくてしょうがない。天にも昇る気持ちになる。それがだいたい一カ月か二カ月続いて、いろいろ反芻する、それでまあ間違いないと確信する。それから調べはじめるのです。あらゆる文献を読み、実際にその関係の地方へ行って調べる。そしてもう大丈夫とわかってから本を書くのです。本は大部分が雑誌連載ですが、その中でまたいろいろ考えいろいろ調べる。すると最初はこういう丸い形をしていると思ったものが、楕円だったりすることがあるが、それは最初の仮説の枠内である。そういうふうにして私は本を書いてきた。『隠された十字架―法隆寺論』でも『水底の歌―柿本人麿論』でもそうです。それで本を出版したわけですが、自分の頭の中で考えに考えているから、誰がどんなことを言ってもこわくないのです。「こんな大それたことをよく書くな」と言われるけれども、私にとってはきわめて当たり前のことなのです。

もちろん、新しい学説ですから、部分的に間違うことがあります。そういうところだけを取り上げて、批判されることはないでもありませんでしたが、それは部品のネジが少しゆるいようなもので、そういう批判もまもなく消えました。

まったく創造的なものをつくろうとすれば、当然、勇み足もありますし、部分において間違ったところもありましょう。新しい人類の知が、最初から完全な形で提出されるということはありません。しかし、新しい視野は、今まではこんなことをやったら失敗するに決まっているとされてきたことを、新しい前提によって大胆に挑戦することによって開かれるわけです。

民俗学の柳田国男と折口信夫（しのぶ）は、新しい知の世界を開いた学者ですが、彼らが生きている間はあまり認められませんでした。民俗学を野蛮学といった学者もあります。死んだ後になってから、彼らは認められ、今でも古代日本の研究者で彼らにまったく完全に影響を受けていない人を探すことはむずかしい。

民俗学は今は多くの大学で講座があり、彼らの弟子たちは二人の師の後をついで精密な学問をやっているのですが、内容的に少しも面白くない。弟子のほうが体系的・学問的ですが、柳田や折口がエッセイで書いたもののほうがずっと面白いのです。

彼ら二人には神の世界へのものすごい好奇心があります。学界の評価のことなどまったく気にしない。彼らの書いたものが論文ではなくてエッセイであってもかまわない。形式などにとらわれず彼らが書いたものの中には発見の喜びがある。しかし、いま民俗学者の書くものには発見の喜びが少しもない。日本の学問というのは後追いの学問です。先人が道を開けばその道を通る、それが安全なのです。しかしそれは真の学問ではありません。学問はつねに未知のものへの挑戦です。私はずっとそういう挑戦をしてきました。が、そういう学問は日本にはほとんどないと思います。みんな安全な道を行く、それで学問はますます面白くないものになる。

しかし、学者でも実業家でも、アメリカ、ヨーロッパの学者は、日本人の学者より偉い人が大勢います。あるアメリカの学者と議論したことがありました。その学者は、「日本人で私の学説にこれだけひどいことを言ったのは、あなたが初めてだ。だがあなたは私の友人だ」「これだけ厳しいことを言われるということは、たぶん私の日本文化に対する理解が間違っているのでしょう。間違っていることを指摘した人は初めてだ。だから今日、あなたに会ったことは私の幸福です」とおっしゃったのです。バカバカしいことに、一緒にいた日本人の学者が、「ひどいことをあの大先生に言った礼儀しらずだ」と悪口を書いたりしました。

この西洋の学者には独立自尊の精神が感じられます。ところが、日本人には独立自尊の精神がない。外国の偉い学者が来たら、まったく同調するか、まったく批判するかです。よいものはよいと言い、悪いものは悪いと言う精神がない。そこがいちばん困ることだと思います。

西洋の人たちに独立自尊の精神があるのは、一つに彼らが孤独に耐える力を持っているからでしょう。絶対唯一の神様がついているから、孤独に耐えられるのです。日本にはそういう神様がいません。神様は集団です。その集団の神様ににらまれたらどうしようもないから、せっかく自分にいい着想があっても、集団に忠誠を捧げることになり自分の着想をすててしまう。

宗教があれば孤独に耐えられる。そういう点からすれば、稲盛さんはどういう神様を信じているのかなと思います。私には怨霊がついていますけど。

パイオニアの条件　稲盛

いつも思うのですが、宣教師というのは一人または夫婦で、言葉が通じなくても、孤独に耐え、アフリカでも中南米でも、布教して歩きますね。日本の神主さんであういうケースは見当たらない。その辺にも日本人に独立自尊の精神が育たない一因があるのかもしれません。

それから、学問的と称して、一つ一つを積み重ねていくというやり方では、独創的なことができないと、私も思います。ひらめいたものを採り入れ、飛躍がないと独創的なアイデアは生まれないものです。ところが、独創的に考えて書けば、論理的な証拠があるかと問われ、学問的に価値がないとこき下ろされたりします。その「学問的」ということを守っていたら、誰でも考えつきそうなことしか出てこない。どこかに飛躍、つまり「学問的」な人たちが言うところの「神がかり的」な発想がなかったら、独創なんて出てくるわけがないのです。

ということは、パイオニアで先を走る者というのは学問の世界の人ではないということになります。神がかりであったり、思いつきであったり、そういうものを採り入れて実践していくのですから。ただ、そのあとに続く人はそれを理論づけできる。そうすると学問になるわけです。

自然科学の世界でも、エジソンの発明、発見というのは、理論なんかまったくないと言ってない。何かしらひらめいて、それをやってみたら電気の分野が発達した。今の電磁理論というのは全部、エジソンのひらめきの後追いです。そういう思いつきやら、いかにも神がかり的な説を認めて、褒めてくれるようでなかったら、独創的な人間はなかなか育ちません。もっとも、エジソンにしてもずいぶん叩かれたようですから、当時も今も同じなんですけどね。

だいたい、理論好きな学者先生は独創を寄ってたかってやっつけようとし、そのようなクリエイティブではない人たちが、理路整然と理屈を組み立てて、のさばるものです。それに負けてはいけない。となると、創造性、独創性においても、独立自尊の精神が必要であるといえるでしょうね。結局、独立自尊の精神は、日本人にとって最も重要かつ必要なものだと思います。

第三章　共生の哲学と循環の思想

文明的な危機への警鐘　稲盛

今の日本において、経営倫理の欠如に警鐘を鳴らしている人はいるのですが、多くの人は気がつかないままで先へ進もうとしています。そうなりますと、これは単に経営的な問題というだけでなく、現代日本の文明の危機なのかもしれないという気もします。

文明の危機ということでは、環境問題というものが昨今、取り沙汰されています。先日もテレビを観ていましたら、中国の黄土高原に住んでいる人たちを何十万人も、シルクロードの入り口のほうに移住させているという映像が出てきました。実は、私は太陽電池をとりつけに、黄土高原までいったことがあります。その当時は黄色い山肌の地帯に穴を掘って、そこに住居をつくって人々が住んでいました。彼らのその住居に電灯をつけてあげたのですが、地形といい、住民の姿といい、私が太陽電池をつけにいったときの光景を、そっくりそのまま、まざまざと見せられました。

そのときに、かねてから梅原先生にうかがっていた環境問題の話と、黄土高原の風景が重なったのです。黄河流域に古代中国の小麦の文明が発生した頃、立派な大木が生え、たいへん豊かな森林があった。その森林を切って木材とし、いろいろなものがつくられて文明ができた。それがいまや草木が一本もない殺伐とした光景になっている。あの黄河文明発祥の地の荒廃ぶりを見ますと、背筋が寒くなります。

梅原先生がおっしゃっている農耕文明の誕生による環境破壊の原理とは、狩猟から農耕へと生活の手段が変わった後のおよそ数千年は文明が維持されたが、農耕がいつのまにか森林を滅ぼし、不毛の地にしてしまい、結局環境を破壊してしまったということだと、私は理解しております。そして、この図式は現在にまで続いているというお話でしたが、確かに今でも延々と環境破壊は続いていますね。原油を掘削して掘り尽くすと、そこへ海水を注入し、さらに底に残っている原油まで根こそぎ抜き出す、というやり方などは恐ろしいことだという気がします。

そういう破壊の図式を正すために、アマゾンの熱帯雨林を切ってはいけない、あるいは東南アジアのラワン材を日本が買うからいけないという批判が出てくるわけですが、これもまた大いに問題を含んでいます。森林の消滅を防がねばならないというのはそうかもしれないけれども、先進諸国、たとえばアメリカでもおそらく原生林がもっと広がっていたのを切り開いて牧畜し、ヨーロッパに至っては、イギリスにしてもドイツにしても、森林を切り払って、農場や牧草地に変えてきた。つまり、環境破壊という問題に気がつく前に、先進諸国はすでに森林をなくしてしまっているのです。

だから、私は、ブラジルなどに森林を切り開いてはいけないと言うのなら、先進諸国は今もっている土地の何割かを植林しなければならないと思います。そういうことをやらなければ、ブラジルの熱帯雨林伐採反対とは言えないでしょう。そうしないで「森林を守れ」と言うのは、手前勝手な要求でしかない。それが環境問題への対応策だとするなら、問題は絶対に解決しません。

経営者にも文明論が必要だ　梅原

最近、京都大学教授（当時）の野田宣雄氏が、政治に文明論が必要であるということを書いていました。これはいい提言だったと思います。たとえば、アメリカにハンチントンという人がいますが、彼は「文明の衝突」ということを言いました。東アジアの文明は儒教が中心であり、アラブのほうにはアラブの哲学がある。これらの文明は西洋文明とまったく違い、東アジアの儒教文明とアラブ文明が結託して西洋文明を撃退したら、恐るべきことだ。簡単に言えば、そういうことを言ったわけです。

私はこの「文明の衝突」論は基本的には間違っていると思います。文明はいろいろある。みんな違う。だから、自分の文明の原理をよく理解しながら、自分の文明には何が足りないかということを謙虚に、西洋も、東アジアも、アラブも考え、今後の世界においてどうすべきかを語り合うべきです。文明は異質だから必ず衝突して、やがて戦争に至るだろうという考え方は、たいへん危険な哲学だと思います。それは人類を滅ぼす哲学です。

そうした文明論をもとにして政治を考えているアメリカの政治家がいる。これに対して、その文明論は間違っていますと、日本の政治家ははっきり説明しなければならない。このことを私は日本の政治家に要求しましたが、同時に無理だとも感じました。今、政治家の顔を思い浮かべてみても、そのような文明論が理解できる政治家は一〇人いるかどうか、というところでしょう。

今、稲盛さんが提起した問題は一種の文明論の問題で、実業家もやはり一種の文明論をもたなければならないということですね。私も文明論が実業家、企業人に必要だと思います。環境破壊の問題は二十一世紀の人類にとってもっとも大きな問題と思われますから、企業活動にとっても無視していられないと思います。

環境破壊は農業牧畜文明の成立から始まり、その農業牧畜文明の上に都市文明ができて、いっそう環境破壊を進めました。実際、古代文明の栄えたところ――メソポタミア地方、エジプト地方、インド地方など――は、すべて見事なほどの環境破壊が行われています。そして、この環境破壊というものは、工業社会になるとますます盛んになるのです。この流れを食いとめ、新しい哲学のもとに文明をつくり直すことが必要です。そういう文明観に沿って、人間の利潤というものを考えなければならない時代に入っている。これは二十一世紀の企業人が絶対に考えなくてはならないことです。

その点について、日本はもともと自然を大切にする文明をもちながら、環境問題について、アメリカやヨーロッパに後れをとっています。アメリカよりヨーロッパのほうが神経質になっています。自然破壊をするような企業の商品は買わないという不買運動が、ヨーロッパで流行っている。これは企業にとってたいへん大事な問題であって、これからの経営者の大きな課題だと思います。

マザコン文明を脱する　稲盛

環境問題について、私は不勉強でわかっていないのかもしれませんが、環境問題というものはますます混乱し、迷走しているように感じています。今でも環境破壊は続いていますが、同時に産業革命以後の近代文明は環境汚染もやっています。この二つ——環境破壊と環境汚染——を一緒にして環境問題を論じているところに、不明瞭な原因があるように思うのです。

つまり、破壊のほうはアグレッシブに自然環境を喪失していくものですが、一方の汚染はパッシブな感じで、知らず知らずのうちに汚している、ということでしょう。破壊のほうは、梅原先生の説によると、数千年前、採集から農耕に移ったとき、または狩猟から牧畜に移ったときから始まった。燃料のために、また家をつくるために、あるいは船をつくるために、山林を切ってきたのだが、再生される分よりも消費したほうが多かった。したがって、森林面積は縮小してしまった。もちろん、今でも懲りずに森林破壊を続けています。そこへ産業革命以後の近代文明が、汚染という現象を膨らませました。河川を汚す、空気を汚す、そういう汚染が進行して、深刻な影響を及ぼすようになった。環境を損なう構造が二重になったわけです。

破壊に加えて汚染が出てきて、ますます人類がこの地球上に住むところを失うような事態が加速したと言っていいでしょう。これはとんでもないことなのだということを、産業人も学者も気がついて、大きな災厄が起こる前に早めに警鐘を鳴らし、対応しなければならないと思います。

しかし、地球とか宇宙というものの容量が大きいために、被害が小さい時期は問題として顕在化しなかった。それをいいことにして、人類はわがままを通してきました。それはあたかも地球というお母さんに甘えて、膝の上で勝手放題やっている子供みたいな気がします。

今、子供は大人に成長し、進んで母親である地球の面倒を見るという段階に来ています。ところが、それを子供は気がついていない。母親の膝の上に置いてもらえないくらい重くなって、母親の膝が折れそうになっているのに、それでもまだ座り続けている。二十二、二十三歳になってまだ親のすねをかじっている成人と一緒で、現代文明はいわば「マザコン文明」と化しているわけです。

「自然は人間の奴隷」という誤解　梅原

自然に対する近代の観念は、自然が人間の奴隷だというものです。したがって、自然を知れば知るほど、人間は自然を使うことができるという考え方につながります。それが科学であり技術であるわけです。これはデカルト、ベーコンの思想にも見られますが、このような考え方は日本においては戦後に流行したアメリカの哲学者デューイ哲学の中でもっとはっきり見られます。その哲学とは、「人類は今まで自然の奴隷だった。ところが、二十世紀になって、科学技術の発展によって、逆に自然を奴隷にすることができるようになり、初めて人間は自然に勝利した。それが文明というものである」という考え方です。

しかし、「自然は人間の奴隷」という考え方は、基本的には間違いです。自然は人間を生み出した母であります。そのお母さんがよく面倒を見てくれて一人前になったら、息子はお母さんが自分のいうことを聞かないのに腹を立てて、ついにお母さんを何でも自分のいうことを聞く奴隷と思うようになってしまいました。お母さんを奴隷と間違えたことはたいへんな誤解です。お母さんは人間に奴隷にされ、稲盛さんがおっしゃったように環境破壊、環境汚染で疲れ切っています。これを何とか救い出さなければならないというのが、現在のいちばん大事な問題でしょう。

ただ、日本は父親というものが不在の社会で、自然も父親ではなく母親のイメージでしょう。とするならば、どんなことをやっても、母親は許してくれるだろうと思う。この点、ヨーロッパは違います。ヨーロッパには父親が厳然として存在しています。

ヨーロッパで親子の相姦というと、父親と娘のケースがいちばん多いのだそうです。日本での近親相姦は、母親と息子がいちばん多い。息子が性に関していろいろ悩むので、お母さんがその息子の欲望を引き受けてやる。そういうケースが圧倒的です。そういうメンタリティですから、日本人は自然を母親と思って、甘えるのでしょうね。どんなにお母さんにひどいことをしてもお母さんは許してくれると甘えている。しかし今、甘えを許せないほどお母さんは疲れているのです。

この環境問題に対して、解決する一つの道は「共生」であると、私は考えてきたわけですが、先日、政府の環境問題の懇談会で稲盛さんが「共生だけではいけない。競争しながら共生するということが大切だ。何も競争せずに人類が他の生きとし生けるものと共生するのでは、社会の発展ということを否定してしまう」ということを言われた。そして、「共生だけでなく、競争という概念を入れるように」と要求を出された。最終報告には、おっしゃるような競争という概念を加えたのですが、その発言に私は改めて感心しました。このことについては稲盛さんからお話を願ったほうがいいと思います。

共生と競争　稲盛

共生と競争というのは、対立する概念のように理解されがちだと思います。単に言葉だけをとらえるとそうなのかもしれませんが、実は大きな意味で考えてみれば、共生という言葉の中に競争は含まれています。共生していくためには、すさまじい生存競争が共生の中の一部のパーツとして存在しなければならない。なあなあ主義では共生が成り立たないのです。

たとえば、「食物連鎖」という言葉があります。あるものがあるものを食べ、それをまたあるものが食べる。この食いつ食われつのつながりで、生物の生きる環境が成立することを指す用語です。

たとえば、アフリカのサバンナでは「弱肉強食」が行われていて、そのおかげで野生の動植物の環境空間が存在していることは周知のとおりです。肉食動物は草食動物を食べますが、それが共生の重要な要素なのです。もし、肉食動物がサバンナにいなくて草食動物だけだったら、草食動物が増えすぎて植物を食いつくし、最後にはすべての種が絶滅してしまいます。それを間引いてバランスをとっているのが、肉食動物との生存競争であるわけです。

ライオンやヒョウが獲物を捕るのを見ていますと、草食動物が集団で逃げていくときに脱落者が出てきてそれが餌食になるケースがしばしばあります。ライオンに捕まるのは、だいたい弱い一匹です。年を取っていて若いものの集団行動についていけなかったり、怪我をしているとかの理由で脚力が落ちているものが犠牲になります。もちろん、それらのものがすべて犠牲になるわけではないでしょうが、多くは間引きの対象となって、肉食動物の餌食になる。共生して生きるためには、そういう競争が不可欠です。競争がなければ共生にならないのではないでしょうか。

たとえを変えて説明しますと、仏教の中には「小善」と「大善」というものがあります。「小善」というのは、親が子供を溺愛するようなことです。「大善」というのは、「かわいい子には旅をさせよ」、あるいは「獅子はわが子を千尋の谷に突き落とす」というような厳しい仕打ちを行うことです。つまり、小さな愛ではなくて大きな愛ということです。私は、「小善」では共生が成り立たず、「大善」が共生の基盤になるのだろうと思います。

「小善は大悪に似たり、大善は無慈悲に似たり」と言います。たとえば、年端もいかない子を丁稚奉公に出したりするのは、無慈悲に見えます。確かに子供にとっては、つらく、悲しいことです。しかし、そうであっても丁稚奉公に出すのが大善です。一見すると、冷酷な感じがしますが、厳しい状況にかわいいわが子を置くつらさに耐えてでも、子供の成長を図ろうとするということです。小善では、かわいい子を丁稚奉公で苦労させたりしないということですから、優しい親のように思えますが、実はそういう優しさは子供の成長の妨げになる。だから、大悪なのです。

みんなで「なあなあの共生」を図っても、決して本当の共生には至らないでしょう。過酷な生存競争というものを含めて共生するのでなければ、それは意味のない共生だと思います。

「進化論」と「棲み分け理論」　梅原

ダーウィンの「進化論」は、生存競争で生物は進化してきたという理論です。それに対して今西錦司が、生物はしょっちゅう闘争しているわけでなく、闘いは特別の場合だと主張しました。たとえば、ウスバカゲロウは種類がたいへん多いのですが、棲み分けている。今西はこの「棲み分け理論」で生物界を説明しようとしたわけです。「棲み分け理論」の背後には、西田幾多郎の「場所の論理」があるといわれます。「場所の論理」というのは人間や自然を実体的なものと考えず、場所、人間と自然がそこでかかわり合う場所——西田は無の場所といったのですが——を重視する考え方です。その実体的に考えず場所や関係で考える点は仏教に影響されていると思われますが、「棲み分け理論」はダーウィンを東洋哲学ふうに修正する生物理論だと思います。

稲盛さんがおっしゃったのは、「一面で生存競争は否定できない。その生存競争がなければ生物の共生は成り立っていかない」ということです。さらに私なりに解釈していえば、「生物界で強いものが弱いものを食うことが、実は強いものと弱いものが共存していく前提になっているのではないか」ということでしょう。これはいってみれば、ダーウィン理論と今西理論を総合するような理論になっていると思います。

これまで私は、今西理論でいいと思ってきたけれども、振り返ってみると、私自身からして競争して生きているわけです。だから、ダーウィン理論と今西理論をアウフヘーベンしたような理論を確立していかなければならないと思います。共生だけだったら、やはり偽善になりますね。おそらく稲盛さんの「共生と競争」という概念は、実践の厳しい生活の中から生まれてきたものだと思います。

私がしきりに共生というものを考えていたとき、若王子の私の家にイノシシが現れて、タケノコを一本残らず食べて行きました。最初は人間様の泥棒かと思いましたが、食べ残したタケノコがある。それでイノシシだとわかり、翌年は囲いをしてイノシシが入らないようにしました。共生を否定したわけですが、その年、夜中に近所の人が帰ってくると大きなイノシシが私の家の前で寝ていたということです。イノシシは、私の共生理論はマヤカシだと言いに来たのでしょうね。

地球のバランスを実感させる「ガラスの中の世界」　稲盛

「生き物としての地球」を「ガイア」とも称しますが、一番心配なのはその生態系のバランスが崩れつつあるのではないかということです。オゾンやら炭酸ガスやら、いろいろな問題点が挙げられているけれども、極端な表現をしますと、私は人類の数が増えすぎるところに大きな危機感を持っています。人類の数がいずれ、一〇〇億近くになろうとしています。本当に宇宙船「地球号」が人類すべてを収容しきれるのでしょうか。

私の娘が、以前、面白いものを買ってきたことがあります。それは、完全に密封してあるガラスの球形の器の中に、空気がちょうど三分の一、海水が三分の二の割合で入っていて、砂が陸地のように積まれています。さらにエビと巻き貝が数匹、何十種類かのバクテリア、それから藻が植えてあります。海水の中に植えられている藻が、炭酸同化作用で炭酸ガスを吸収し、酸素を吐き出す。その酸素をエビと巻き貝が吸収し、バクテリアと藻を食べて生きる。そして、エビや巻き貝の排泄物をバクテリアが分解して藻の栄養分をつくり出す。こういう完全閉鎖型の循環サイクル系をつくっている。これは地球を模した生態系空間なのです。

聞くところによると、もともとはＮＡＳＡがつくったものだそうで、日本の業者がそれを真似て商品にしたらしい。三万円で売っていたのを娘が見つけて、「素晴らしいのがある」と言って買ってきました。見ていると、実に面白い。日向に置きますと、水が蒸発します。それが上の冷たいガラスについて雫になり、雨みたいにつるつるっと落ちる。また、昼間に蒸発した水蒸気が、夜の冷気で露となって下へ落ちる。自然界で起こる水の循環が、手に取るようにわかります。

普通なら完全に閉じ込めてしまうと、中にいる生物は死んでしまうのですが、長い間、エビも巻き貝も生きていました。これには驚かされました。そして、これがまさに地球なのだという実感を得ました。動物が酸素を吸収し、炭酸ガスを出す。一方で、植物が炭酸ガスを吸収し、酸素を出す。このバランスは実に微妙なところで成り立っている。その微妙なバランスがちょっと崩れただけで、生態系は崩壊し、動物も植物も死滅してしまう。食物連鎖の場合もそうですけれども、生態系のどの鎖も一つが切れれば、それにつながっている生物は、全部死滅するのです。

また、ちょっとした温度変化と太陽光線の当て方で、中にいる生物は簡単に死んでしまう。非常に微妙なバランスの上に生態系が成立しているのだということが、このガラスの器を見ているとよくわかります。本当に弱々しい微妙なバランスの上に、われわれの暮らす地球の環境がある。そんな印象を私は強く受けました。

今は「新しい秩序」ができる前夜である　梅原

いろいろ末期的な状況がありますけれども、それは新しい秩序ができる前夜だ、というふうに私は考えています。今までの人間中心の考え方、特に、今の日本に一般的である、自分の欲望さえ満たせればいいのだという考え方ではやっていけなくなり、生きとし生けるものすべてとの共存を図るという転換期がきている。その境に現在のわれわれは生きていると思うわけです。

もちろん、人間同士の共存でさえむずかしいことですから、人間と動物、あるいは人間と植物とが共存するのは一層むずかしい部分があると思います。しかし、そういうことをいっている限りは、未来を切り開いていけない。産みの苦しみに耐えて、新しい秩序を構築していく気概が求められているといえるでしょう。

それから、循環についてですが、先ほどいわれたように生態系の循環ということも大切であります。現代文明はこういう生態系の循環を再確認しようとしている。たとえば工場でものを作る。しかし現在まではものを作ることのみが大切で、その排泄汚物をどう処理するかにほとんど工夫がなされていない。

人間の体でも食べたものをできるだけ処理の便利な大便と小便に分けて、できるだけ簡潔に処理する。そういうように体はできているが、工場はそういうふうにできていない。大量の大便や小便を排泄し、しかもそれは多くはタレ流しです。水俣公害などはそういうふうにして起こったことですが、この工場そのものを人間の体なみにしなければならない。それは排泄物をできるだけ簡便にして自然に還元可能なものとしなければならない。工場というものも自然の循環機能に従わせなければならない。これが一つの循環でしょう。

私はもう一つの循環を考えています。今まで日本人が信じてきたのは進歩という理想でした。人間が、自然をだんだんコントロールしていく。自然をコントロールすることによって、人間の富を増大していく。無限に増大できる、それが進歩であるという考え方です。だけど、もはやこのような自然支配を限りなく増大し、富を増進していくという考え方では地獄行きになることは目に見えています。自然との共生を保ち、それを長く続けていかなければならない。それが循環なのです。

まだ、日本のいたるところに残っている生の自然にふれる。それは喜びです。子供はそのような生の自然にふれることに深く感動する。子供は虫を見たら喜び、貝を見たら目をかがやかせます。それが人間の自然との直接の出あいです。永遠に人間と自然との感動的出あいをくり返す。そういうあり方を私は循環と言っているのですが、進歩の理念がそういう理念に変わらなくてはならない。だから、今、世界中で起こっている悪い事件も、新しい時代がくる前夜の混乱だと解釈したいのです。

自らの意思で犠牲になる覚悟を問う　稲盛

さて、共生と競争に並ぶ循環という概念についてですが、この循環というのは、先ほど、梅原先生がおっしゃった進歩という思想から離れる新しい思想だとすると、発展をもたらすのではなく、ある意味では停滞性をもたらす可能性があります。

すると、これから経済発展を成し遂げようとしているアジアや中南米、アフリカという地域から、循環を重んじる行き方に反発が出てくることは予想される事態です。「アメリカや日本、ヨーロッパなどの先進国はそれでいいかもしれないが、これから発展したいわれわれはどうすればいいのか」「環境を守る、循環を維持するというのは、先進国にとって都合のいい議論ではないか」。こういう意見、主張に対して、どうすればいいのか、という問題は念頭に置いておくべきでしょう。

共生するためには、循環というコンセプトが必要不可欠なのは確かです。そして、共に生きるためには「犠牲」を伴うことも否定できないことです。自然界の循環、たとえば食物連鎖の中では、先にもふれた「弱肉強食」という原理があります。肉食動物が草食動物の中で落ちこぼれたものを、間引くが如く食べます。これは草食動物の中から犠牲が出て、食物連鎖が成り立っているということです。

では、これを人間の世界にそのまま当てはめてもいいのかといいますと、原理的に無視することはできませんが、まったく同じに考えるべきではありません。犠牲にされるのではなく、自らの意思で犠牲になるという精神が人間にはある――つまり、自分の身を差し出して、共に生き延びるという道があると思います。

遅れてきた発展途上国の人たちが、これから経済的に豊かになりたいと思うのは当然です。そこに共生なり循環なりという概念を押しつけてしまうのは、すでに発展している先進国のエゴとされてもしかたない。

発展途上国はある程度、発展していいと思います。その代わり、われわれ先進諸国は自ら進んで犠牲にならなければいけません。その結果、現在の生活レベルが落ちることはかなりの確率で推測できます。たとえば、有限の石油資源を発展途上国がいっせいに使い始めたら、先進国のエネルギー消費量を落として消費のバランスをとらなければならない。そこまで厳しい自己犠牲を伴う共生という概念を耐えられるかという問いかけを、われわれは自らに対してやっておく必要があるでしょう。

もっとも、二億六〇〇〇万人の米国、一億二〇〇〇万人の日本、二億数千万人のヨーロッパという先進諸国が、一人当たりのエネルギー消費、つまり生活水準を半分に落とすとしても、一二億人の中国が現在の先進諸国における一人当たりのエネルギー消費の半分程度まで使うようになったら、減らした分より増えた分が大きくなります。インドの九億人がそれに重なってきたら、われわれのレベルを三分の一に落としてもアウトかもしれない。

では、どうすればいいのか、というと、現段階でみんなが幸せになるような有効な処方箋はありません。みんなが宇宙船「地球号」に乗れないから、みんなが少しずつ生活レベルを落としましょうというようなことを言わなければならないときがくるかもしれない。そこまで考えると、非常に厳しい状況にわれわれは置かれていると言わざるを得ない。

ただ、梅原先生がおっしゃっているように、人類の英知というのはたやすく枯れてしまうものではないと、私も思います。そういう切羽詰まるような時期までには、エネルギー問題も新しい英知が解決しているかもしれません。そう悲観的なものではないと思います。

循環型工業社会の構築　梅原

循環という概念の中にはいろいろな考え方が入っています。ですから、ある考え方では停滞をもたらすでしょうし、別な考え方では必ずしも現在の工業社会の否定という結果を引き起こさないかもしれません。

たとえば、ヒンズー教の思想は循環型と呼べますが、そういう流れに工業社会のあり方を変えていけば、工業生産を抑えるだけではない循環の行き方が出てくるはずです。どうも今の工業社会は胃袋の部分が非常に発達しているけれども、残存物をいかに少なくし、あるいは自然界に還元できるような物質にしていくという腸の部分の機能が小さすぎます。ですから、工業的な排出物をきちんとクリーンにして、それを再生産につなげるシステムを確立した工業社会の姿というのも、循環の思想に決して矛盾しないし、工業を否定するものではなくなるわけです。

実際、江戸時代の日本は工業社会ではないけれども、一つの循環型社会を維持していました。たとえば、人間が作物を食べ、それが大便、小便になり、それが肥料になり、それが作物に吸収され、また人間が食べるという流れは、まさに循環です。

こんなことを言うと、「それは農業社会だから可能だ」と言われるかもしれませんが、農業社会でも森を切り開き、動植物を絶やしてしまったところは歴史上、いくらでもあります。古くは紀元前三千年のメソポタミアにおけるギルガメシュ王の時代からこのような考え方はあります。小麦農業と牧畜という生産方法の上に最初に都市文明をつくったギルガメシュが王となってまずなしたことは、森の神フンババの殺害なのです。それは森林を壊すことを文明が認めたことを意味します。ここから進歩の思想が起こってくると私は考えます。だから、農業あるいは牧畜でも循環型ではないシステムもあるのです。農業・牧畜によって自然を破壊した人々からすれば、「循環なんて狩猟採集社会だから可能だ」と言うかもしれません。私は工業社会でも循環型への変身は可能なことだと思います。

共生と循環という概念を比べてみますと、こんなことが言えると思います。共生というのは、現在という時間軸でわれわれの生命と生きとし生けるものの生命が横につながっていることを自覚することだというふうに表現できます。一方の循環は、生命の縦のつながりです。

私が循環ということを肌で感じたのは、私の田舎に孫を連れていったときの体験からでした。そのときに、私は子供の頃にやっていたように、孫と一緒に蟬を捕り、それから海へいって、魚や貝、イソギンチャクやウニなどを捕って遊びました。

今、捕っている人間のほうは私から数えて二代目の子孫にあたる孫で、捕られた蟬のほうはかつて私に捕られた蟬の何十代か後くらいの子孫になります。また、魚やイソギンチャクも、私の捕った魚やイソギンチャクの何十代か後の子孫かもしれない。何十年もの時を経て、それぞれの子孫同士が出あったわけです。

そういう人間と自然との出あいと別れが永久に続いていく……。この縦のつながりということが、今までの人間の視点から抜け落ちていたのではないか、と思いました。そういう人生観を貫けば、地球を汚して、孫の時代になると美しい地球はないというのでは困る、という気持ちになります。蟬もいなくなり、イソギンチャクもいなくなるのでは、人間は何のために生きているのか、という思いが出てくる。いつの時代になっても、山へいけば蟬がいて、海へいけばイソギンチャクがいるという環境が続いていく。人間と自然との出あいがいつまでも続くという意味も含めて、循環ということを私は提唱したのです。

そういう思いが原理にあって、その上で、経済的に発展途上国が豊かになってくることが理想だと思います。たしかにおっしゃるようにここに難しい問題がありますが、人間の生きる原点として、あるいは原理として、共生と循環という理念を抜きにしてこれからの世界はあり得ない、と思います。

人の意識は確実に変わってきている　稲盛

今、私どもでやっているソフトなエネルギー関連事業として太陽電池があります。太陽電池というのは三十年以上の寿命がありますが、コスト的には商業電力よりも高くつきます。そうであるのに、太陽電池をとりつけた方のなかに、こんなことをおっしゃった方がいらっしゃいました。

「私は六〇〇万円の貯金をもっています。その貯金をおろします。六〇〇万円の貯金だったら、今の二～三パーセントの金利だと、年間もらう金利もしれています。それを使って太陽電池をつけて、それが電気をおこしてくれて、金利に近い分だけ電力代が減れば、それで十分です。預金を銀行においておくよりも、屋根瓦の上に預金を積んだと思えばいいんです。地球にやさしくしてあげたということだけでも心が安らぎます」

こういう素晴らしい思いをもっている方々がいらして、私は非常に感激しました。

また、地球環境を考えた商品として、もうひとつページプリンターがあります。ページプリンターというのは五、六〇〇〇枚くらい刷りますと、ドラムという部品が磨耗するので、交換をすることになっています。通常、メーカーは磨耗したドラムというキーパーツを交換することによっても利益を得るようになっているわけです。

問題はこの使用済みドラムでして、実はものすごい量の廃棄物と化しています。全部は回収できないのですが、それを世界中から集めて、中国へもっていって再生するという仕事をやっているところもあります。何だか公害の輸出みたいになっている。

それではいけないということで、私どもは半永久的に使用できるドラムを開発し、それを組み入れたページプリンターのみを販売するようにしました。機械の寿命がくるまで、およそ三〇万枚まで刷れます。一切、部品の取り替えはありません。印刷におけるインクにあたるトナーさえ入れれば、いくらでもプリントできるというものです。その代わり、どうしても値段は高くなります。これを市場に出そうとしたときに、「それは絶対売れません」と多くの人たちから言われました。「値段が最初から三割も四割も高いのでは売れませんよ」と。

そこで、人間の良識に訴えてみようと考えました。これは地球にやさしいプリンターだというふうに打ち出したのです。もっとも、紙をたくさん使うのですから、プリンターがやさしいというのはおかしいのですが、使い捨て備品がなく、地球を汚さないプリンターということで、ヨーロッパと日本とアメリカで売り出しました。

アメリカではあまり受け入れられていませんけれども、ヨーロッパでは事務機の賞でグランプリを取ったり、三割、四割くらい高くても使ってあげましょうという企業が現れたりしました。日本でも、エコロジーに対する進んだ意識をもった企業は「わが社は全部これに切り替えます」というところも出てきています。

ですから、地球にやさしい製品なら、若干値段が高いといっても、それが受け入れられるくらい意識レベルが上がってきていると思います。私は非常にいいことだとよろこんでおります。

それともう一つ、太陽電池で動く車――ソーラーカーに、私どもの会社は関係しています。技術者たちは京セラでもソーラーカーをつくろうというようなことを言うのですが、私は「何も車を出さんでもええやないか」と言っています。しかし、大学などで試作しているソーラーカーの太陽電池と装備は、京セラが提供しているケースもかなりあります。そして、オーストラリア縦断のソーラーカー・レースや能登半島で行われたレースでは、京セラの技術でつくった車が走っています。

まだ実用には遠いのですが、現時点では夢の技術であっても、永遠に夢のままで終わるわけではないと思います。技術が思いもよらない可能性を切り開くことだって、否定することはできません。将来を考えるときは悲観ではなく楽観で、実行するときは楽観ではなく悲観で、というのが、成功へ至る一つの知恵であると思います。

本気になって取り組めば、必ず新しい技術は生まれてくるはずだ　梅原

ヨーロッパでは環境を汚すようなものにはマイナス点をつける傾向が強いですね。そのために企業が環境保護に反するような行動を自粛する。これは日本の消費者よりヨーロッパの消費者のほうが進んでいるということですけど、日本でも今後だんだんそういうふうになるでしょう。日本の企業でそんなことを考えている人は少ないかもしれませんが、私はそれは時代の流れだと思

います。

西欧人は人間が自然を征服するという自然観をもっていますが、環境問題に関して意識が高く、逆に日本人は伝統的に自然と一体であるという自然観をもっているのに、逆に、環境問題に対する意識が低いというのは不思議なことです。

その理由を私はこんなふうに考えています。だいたい日本の学問そのものがヨーロッパの模倣です。つまり、自分の頭で考えていない。日本はヨーロッパから近代思想を取り入れ、今でも近代思想を後生大事にしているが、ヨーロッパ人は自らつくった近代に疑問を感じ近代というものを克服しなければならないというふうに考えています。そして、近代思想の枠を超えるような思想を作り始めようとしている。それがポストモダンです。日本ではポストモダンというと右翼的な思想――日本的な思想――というふうに考えて敬遠されがちです。日本の思想界の中心はやはり近代主義者です。

ところで実は、太陽電池について前々から不満をもっていました。太陽光発電のことをコストが高くなると言って、国なり、企業なりが本気になって研究していないように感じているからです。もし、原子力発電ができなくなって、石油も石炭も使ってはいけないということになれば、太陽光発電技術が飛躍的に進歩するに違いない。だから、今でも本気になって取り組めば、コストの安い機械ができるに違いないと、私は常に思っているのです。要するに、大企業は今のままで儲かるから、「そんな利益のあがらないことやるか」ということではないのでしょうか。

ただ、企業の中にも環境に対する意識の変化はあるだろうとは思います。私の父はトヨタ自動車の技術者で、コロナやクラウンを設計した責任者でした。その父と自動車の雑誌で親子対談をやったことがあるのですが、そのときに父が「これからは、太陽電池で走る自動車が出てくる。そういう時代が必ずくる」ということを言っていました。つまり、先ほど稲盛さんがおっしゃっていたソーラーカーのことになります。実のところ、私は父のことを、「今の技術で儲かればいい」という技術者だと思っていたので、そんなことを考えているのかと驚きました。

父が太陽電池で走る車の開発をやらないといけない、と考えそれを実行に移していたかはわかりません。トヨタが織機から自動車に進出するのはものすごい冒険だったと思います。それをやった豊田喜一郎さんは、実は父親の豊田佐吉さんに対する反発で始めたそうですが、今のトヨタの発展はその喜一郎さんの冒険心の上に成り立っています。日本の産業もそろそろ新しい時代を見渡してそういう冒険を行わねばならないのではないでしょうか。

話題は少し変わりますが、先ほど稲盛さんのおっしゃった、計画は楽観的に、実行は悲観的にというのは、いい言葉ですね。私も実行をするときには、いつも最悪の場合を考えています。最悪の場合を考えていると、どんな結果が出ても悲しむことはないし、絶望もしません。

それから、作品をつくっているうちに「これはダメだ」と気づくことがあります。「この着想で書ける」と思っていたのだけれども、書いているうちに「根本的に間違っている」ということがわかる。そういう経験が二回くらいありました。そのときは途中で筆を捨て、読者に謝りました。これは辛いことだけれども、やはり間違った仮説に固執してはいけないと思います。

おそらく経営でもそういうことはあると思うのですが、ダメだとわかったらできるだけ早く捨てることは大事だと思います。

何事もそうですが、執着してはいけません。ダメだとわかった計画は勇気をもって中止し、新たに挑戦し直す心構えを常にもっていることが、学者でも実業家でもたいへん大事な知恵だと言えるのではないでしょうか。

第四章 心の教育を目指して

「新しい資本主義」をつくることの他に対応法はない　梅原

私は最近、だんだん末世的な現象が出てきたと思えます。私はオウム真理教の言うハルマゲドンという思想に反対なのですが、世界が行き詰まっているということは間違いない。では、どうすればいいのか。第一章で話しましたような「資本主義の原点に帰って、倫理的道徳的な資本主義をつくる」ことより他に対応法はないと思っています。

オウム真理教の代弁者たちの話を聞くと、どんな状況でも上手にウソを言いますね。二枚舌も三枚舌も平気で、何とでも言うようです。あれを見ていて、私は政治家が国会答弁、あるいは国会の証人喚問でつるし上げられている場面を思い起こしました。いつも二枚舌、三枚舌で追及をかわす政治家の姿とオウムの代弁者が二重写しになってくる。政治家という偉い人がこんなにウソを平気で言うのなら、ウソを言っても構わないのではないか、俺ならもっと上手なウソを言えるのではないか、ということになるだろうと思います。

それから、若者が今の世の中は一体何なのだろうという疑問を持っているのではないでしょうか。精神的原理を失って、金儲けだけに走っている、そこに夢もロマンもないではないか、ということで、夢とかロマンをああいう邪教（私は邪教だと思います）の中に見いだそうとした。

マルクス主義が一時はそういう正義の源であり、同時に青年の理想であり夢であったわけですが、これが社会主義国家の崩壊以降はつぶれてしまいました。そうすると、今度は宗教というスタイルから打ち出される理想郷が、青年の心をとらえるということは、きわめて自然なことのような気がします。やはり、現実の社会が人間の夢や希望を満たし正義感を満足させるような社会でなくてはならない、と思います。

宗教という点で言いますと、親鸞でも法然でも、本当の宗教者は生きているうちに寺とか教団とかをつくりませんでした。死んでから、信徒たちが大きな寺をつくり教団を形成したのです。だから、生きているうちから、そういうことをするというのは、本当の宗教家ではないということも言えるでしょう。

実際、法然などが金を集めようとしたら、いくらでもできたはずですが、最期まで小さな庵で過ごしましたし、親鸞なども一生居候して暮らしていました。本願寺というのは、親鸞がつくったわけではなく、曾孫の覚如がその基礎をつくったのです。そして、本願寺創設当時は、まだみんな貧乏をしていて、かろうじて生活していたくらいなのですが、蓮如が出て急に大きくなりました。本願寺教団というのは、実は親鸞の思想に基づいて覚如がつくり、蓮如が飛躍的に大きくした教団なのです。

宗教というのは本来、そういうものです。自分を神に祀り上げて、たくさん金を取るのは宗教ではないと、私は思います。

本当ならば宗教ではないようなものが世の中にはびこるのは、結局、マルクス主義がつぶれた影響があるだろうと思います。だから、問題になっているオウム真理教にしても、その思想の中にどこかマルクス主義的な思想が入っていて、赤軍派の思想に近いようなものを感じます。たとえば、アメリカ帝国主義だとか、国家権力だとか、そういう用語が使われていますね。

ウソをつかないことが最低のモラル　梅原

自分で言ったことは実行する。もし間違っていたら、間違いだったと言う。私は、世の中の指導者たちには、そういう当たり前のことを実行してほしいと思います。

ソクラテスは哲学者の嚆矢（こうし）と呼べる人ですが、ソクラテスの前にはソフィスト、智者と自ら名のる人々がいました。ソフィストというのは、白を黒と言い、A側でも反A側でも同じように雄弁ができた。そういうソフィストが雄弁術を教えて、人気を博していた。政治には白を黒といいふくめる雄弁術が必要であったからです。

これは今の政治家と同じですね。自分の利益に従ってあるときはAと主張し、立場が変われば反Aと主張する。しかもたいへん雄弁に説得的に主張する。そういう雄弁術を身につけたソフィストの無智を、ソクラテスは対話によって暴露した。そして、自らをソフィスト、智者でなくピロソポス、すなわち愛知者であるとした。それが、哲学の最初なのですが、その原点に帰って、哲学者は言葉の権威を回復しなければならないと、私は思っています。

つまり、道徳の原点は「ウソをつかない」ということです。ちなみに、アイヌの人たちはウソをつきません。なぜウソをつかないかと言うと、自分に霊がついていると信じているからです。ウソをついても、自分についている霊はそのウソを知っている。だから、ウソをついても仕方がないというわけです。もし、ウソをつかなければならない場合は、「知らない」というふうに言うわけです。

アイヌに限らず、ウソをついてはいけないという意識はたいがいの民族にあるのですが、だんだん文明が発達してくると、ウソをつくことに抵抗感が薄らいでくるものです。私も母からは、「ウソをついてはいけない」と子供の時に厳しく教えられました。しかし、現代ではそういう精神がなくなってきています。それは人間の倫理の基礎が失われたことです。

フリードリッヒ・ニーチェという哲学者が、ドイツ語で「レードリッヒカイト」という言葉を言っています。これは、誠実であること、すなわちウソをつかないということです。そして、それを「最後の徳」と言いました。キリスト教が養ったいろいろな徳が滅びてゆき、これが滅びたらもはや道徳はなくなるという段階、その最後に残っているような徳が「レードリッヒカイト・ウソをつかない」ということなのです。その最後の徳が、今の日本ではひどい状態になっているわけです。

私はある先輩（その人は京都の人です）からこんなことを言われたことがあります。「梅原はなかなかよくやっているけど、本当のことを言いすぎる」。そう言われて、「やはり京都人になれないんだなあ」と思いましたが、私は仙台の生まれでいわゆる蝦夷ですから、確かに本当のことを言いすぎるところはあります。でも、ウソをついてはいけないというのは、モラルの基本であり中心だと思います。

ウソをつかないための知恵　稲盛

その通りだと思います。政治家の世界だけでなく、役所の人たちを見てもソフィストが大手を振って歩いている観がします。たとえば、民間の金融機関が、大蔵官僚たちとつきあう中で、御馳走をしていたとかいないとかという問題が出てきました。

そのときに、いろいろと追及されて、「あなたはここへ行ったではないか」「こういう御馳走を受けたではないか」と決めつけられて露顕するまでは、「絶対にやっていません」と言い張っていました。そして、証拠を突きつけられると、「その程度のことは特別悪いとは思いません」と言った。

悪いと思わないのならば、「こんなこともありました」と先に言えばいい。しかし、「御馳走なんて受けていませんで、その程度の御馳走は受けました。しかし私は悪いとは思っていませんの」と言って、ついに事実がバレてしまうと、主張を一転して「その程度のことは、問題はないと思います」と言うのは、Aの時も雄弁に語り、Bになっても雄弁に語るソフィストそのものの態度でしょう。こんなありさまでは、ギリシャ時代と何も変わっていないということになります。そういうソフィスト的態度を政治家、高級官僚が当然のごとく取っていることに、世の中が乱れてきた原因があると言ってもいいと思います。

そう考えてきますと、混沌の時代に入ったな、という感慨が浮かんできます。そこでふと思いましたのは、私が社会に出て働き始めた頃のことです。

私は鹿児島から京都へ出てサラリーマンになり、会社で研究の仕事につきました。その私の研究が若干実ったのですが、勤めていた会社の上司と技術的なことで論争になり、私が辞めることになりました。その時、今の京セラという会社の前身である「京都セラミック」という会社を京都の方々がつくってくれた。

その中心になった方が、旧制新潟高校から京都大学工学部の電気科を出ておられたNさんという人でした。Nさんは新潟のお寺のご出身なのですが、たいへんなロマンティストで、新潟高校時代に自分よりも年上の医者の奥さんと恋に落ちて、手に手を取って駆け落ちし、京都へ出てきた。そういうロマンティシズムもあり、同時に宗教的なものも持っていて、私は、その方にご指導いただいていました。京都セラミックの経営者になり、仕事でいろいろな指示を出さなければならない時に、Nさんに相談しましたら、こんなことをおっしゃった。

「稲盛さん、ウソを言ったらあかんよ。しかし、ほんとのことを言わんでもいいんだよ」

私はそれを聞いて、飛び上がるほどうれしかった。私も子供の頃からウソは絶対につくなと両親から厳しく教えられていたので、経営者になっても、ウソを言ったらいけないと、心からそう思っていました。しかし、経営する上では企業秘密に関することや人事に関することなど、時には本当のことを言いづらいケースも出てきます。たぶん私は、そういう難問に悩み苦しみ、相談したのだと思うのです。その答えが、最低限のこととして「ウソをつかない」という態度は貫くが、しかし洗いざらい本当のことを言わないことで、事態の打開を図ることはできる、というものだったわけです。

本当のことだけを言っていたら、どこもかしこも敵ばかりという状態に陥ってしまう危険性がありますし、「あそこは使いものにならん」と言われないようにしようと思うと、ついウソをついてでもその場を取り繕いたくなります。そういう局面は誰しも必ずあるはずです。そういう時でさえも、ウソをついてはいけないのです。ただし、必ずしも本当のことを言う必要はない。「こうですか」と要点を突かれれば、ウソをつくわけにいきませんから「そうです」と答えなければなりませんが、聞かれもしないのにペラペラと本当のことを言って、自分を窮地に陥れる必要はありません。

せめてその程度のことを、政治家も役人も知っておいてほしいと思います。

「心の教育」の必要性を痛感する　梅原

この点で実業家と学者は少しちがうのではないかと思います。学者は何でも本当のことを言っても、生きていけると思いますが、実業家は、何でも本当のことを言ったらとても生きていけないと思います。私も若い時は本当のことを言いすぎて敵を多く作りました。年とってみると、ウソをつかないにしても、本当のことを言わないという知恵があることを、つくづく感じることがあります。稲盛さんがおっしゃったことはよくわかります。

「最後の徳」である「ウソをつかない」というモラルを考えるとき、やはり教育の問題が出てきます。私の母は貝原益軒（かいばらえきけん）の『女大学』にみられる女のあり方を絵に描いたような厳しい人でした。養母で血がつながっていないのですが、ウソをつくということは人間として最も下等なことだ、と厳しくしつけられ、ウソをついたらものすごく叱られました。ある時ウソをついて蔵に入れられました。その蔵の暗い恐ろしい記憶が残っていて今でもうまくウソをつくことができません。ウソを言うとすぐ顔に出ます。それは蔵の恐ろしい記憶があるからです。おそらく今の母親は成績が下がったといってわが子を叱ることはあってもウソをついたからといって本気でわが子を叱る母親はほとんどないでしょう。そういう道徳教育が、家庭においても学校においてもなくなっています。そこに大いに問題があると思います。

道徳教育――道徳教育というのが言葉として悪いとするなら、「心の教育」と言い換えてもいいのですが――を、学校でほとんど行わないし、家庭でもしない。こういう状態では、道徳というものに対する感受性を欠いた人間が、育ってもおかしくはありません。これはたいへん大きな欠陥であると、私は考えます。

知育に偏った教育の集積が混迷をもたらした　稲盛

現在の教育は知識を植えつけていくだけという形になっています。それがどんどんと肥大化している。しかし心の働きということについては、何も教えないで済ませています。たとえ教えたとしても、せいぜい心理学の中途半端なレベルまでしか教えていない。しかしながら、心理学で教えられる心の働きというのは、心の働きの一部分、ごく表層的なことでしかないのですから、心理学をきちんと教えてもまだ不十分なのです。非常に偏った知識偏重の教育をしていると思います。

残念なことに、教育の対象を心の方向へ持っていこうとすると、それを道徳という言葉に置き換えて、旧体制の教育方針だというような反対がすぐに出てきます。そして、教育に責任ある立場の人が反対意見を説得できないという状況があります。教育というのは知育と徳育と、両方のバランスがとれていなければいけないのに、「戦前の教育を甦らせるな」と反対する先生方を説き伏せる説得力ある人がいらっしゃらない。そのために、知育のほうに偏ってしまった。それが、現在の末世的な世相を生んでいるのではないでしょうか。戦後五十年の集積――この半世紀に日本が歩んできたことの集積が、今日の社会現象を生んでいるという気がします。

梅原先生は七十歳になって、少しは善き方向へ進もうと思っているとおっしゃっていますが、そういうことを少し無理してでも自分に言い聞かせて、善に向かっていこうとする姿勢は非常に大切なことだと思います。すんなりと事は運ばないかもしれませんが、だからこそ無理してでも自分で自分に言い聞かせ、自分を仕向ける努力は必要でしょう。そして、それができるということが「若さ」なのだと思います。梅原先生はロマンティストで若いなあ、と感じます。だいたい年がいったら、欲ぼけしてきて、あさましく醜くなるものなのです。

「心の教育」は国家主義の道徳ではない　梅原

私は恵まれているから、そんなことを考えたのだと思います。どうにか食えますし、賞もいろいろともらいましたから、「まだまだ世俗の欲を追い求めてやまない」という気持ちがなくなり、自分のことはこれ以上いらないという気分になれたわけです。

道徳ということでつけ加えますと、今まで私は道徳ということにあまり好感を持っていませんでした。それはやはり、戦争中に「忠君愛国」の道徳を押しつけられ、その道徳が戦後、あっさり崩壊したことに関係していると思います。

つまり、道徳ということについて、私たちの世代は、どちらかと言うと懐疑的なのです。多かれ少なかれ、戦争を経験した人間は男女を問わず道徳的懐疑主義者です。そのために、子供に道徳を押しつけるより自由に育てたほうがいい、という親が多くなり、家庭において道徳を教えていない。今、一応学校では道徳教育の時間をもうけていますが、実際にはほとんど行われていない。そういう道徳のしっかりした教科書もないという状態です。そういうことでこれまではやってきたわけです。

しかし、道徳教育という言葉に抵抗感があるのなら、「心の教育」でいいと思うのですが、「心の教育」をすることは国家主義でも何でもないと思います。この世には人間が生きる上で大切な道というものがあります。それをまったく教えずに、大学まで進むということは、たいへん不合理なことではないかとさえ、思うのです。今こそ、「心の教育」を真剣に考える必要があると思います。文部省（現・文部科学省）は蛮勇を振るって、心の教育について日本の最高の知性を集めて検討させ、どのような「心の教育」をすべきかを議論すべきです。

心理学、宗教、倫理を含めた総合的な徳育が必要　稲盛

「道徳」という言葉については、戦前の教育の中で誤った教育もあったため抵抗があるのは確かです。それを「心の教育」という表現に梅原先生は置き換えられたのですが、まったくその通りだと思います。

ひとつの社会現象として報道された事件に、教師だった親を息子が殴り殺したという事件がありました。これはいかに教育が荒廃しているかということを物語っています。また、心の問題で飢えた若者たちがどれだけいるかということでは、オウム真理教を見てもわかることです。あれだけの最高学府に入った優秀な若者がオカルト的な神秘性を売り物にする宗教に引かれていった。彼らは「いい学校」に入る学力を身につけてきたが、「心の教育」は何ひとつ受けてこなかったのでしょう。

「心の教育」というものに、みんなが飢えています。オウム真理教のようないかがわしい「心の教育」でも魅力があって引かれていくのですから。しかし、本当の「心の教育」はありません。だから、今の若者たちは、劇画の世界、マンガの世界で「心の教育」を得ようとしているのかも

しれません。その要求に応えるがごとく、オカルトチックな宗教劇画が商業ベースの出版界でも何百万部という数で出版されている。そういう状況がありながら、学校教育の中にまともな「心の教育」がないというのはおかしな現象です。

梅原先生がおっしゃったように、「心の教育」に真剣に取り組むことを望みます。たとえば、心理学も「心の教育」のひとつですし、宗教ももちろん入ります。別にむずかしい意味の宗教学を教えろとは言いませんが、世界宗教として存在するような宗教を取り上げて、その教義を並べ、こういう違いがあるとか、発生した年代と場所によってこんな違いがあるということを教えてもらえば、それだけでもあやしげな新興宗教に引っかからないための知識になります。

また、世界宗教、特にキリスト教や仏教、イスラム教、ヒンズー教はいつ頃教義ができあがったのか、と聞くと、二千年近い昔に成立したことがわかります。そうすると、二千年の間、人間はひとつも進歩していないのか、という感慨が出てくると思います。二千年前の教義を超えるようなものを、現在、誰も出せない。これは現代人の思い上がりに対する大きなショックを与えてくれるわけです。たとえば、哲学の場合、ギリシャ哲学、あるいは中国の古典と比較して、それを超えるような新しい哲学をいまだに打ち出していないとすれば、人類はたいして進歩していないということになります。せいぜいサイエンスの分野で進歩したくらいです。そう思うと、若者の中で「よし、俺は哲学をやろう」とか「俺は宗教学を勉強しよう」という人たちが出てくるかもしれない。そうなれば、心の分野、つまり精神科学の面が大きく成長するのではないかという期待も持っております。

ですから、宗教、さらには哲学や倫理学、そして心理学といったものがすべて「心の教育」に入ります。日本の英知を絞って、そういうカリキュラムを考えるときが来ているのではないでしょうか。

また、日本の場合は、タガがはまっていると言いますか、教育でも何でもある枠の中にはめられて成立するという特性が存在しています。研究者の世界でも、徒弟制度みたいなところがあって、白いものでも黒と言え、と先生が言うと、「黒」と言う者が秀才であるということになってしまう。そこで「白は白です」などと言う人間は排除されてしまいます。

ところが、欧米の人たちは、そういうタガを持たない。だから、自由な発想が出てくる素地があるわけです。そういう点では、「知的バーバリアン」とでも言いますか、そういう放埒さ、自由度が知識の面で欲しいですね。少なくとも、私にはそういう感じが強くあります。日本の優等生は、一歩もそこから出られないというような点で、動物園の動物であり、野生の動物が持つ素晴らしい能力とは大きな違いがあると思います。

道徳的感性がない知識人をつくってどうする？　梅原

「知的バーバリアン」というのはいい言葉ですね。これは稲盛さん自身のことを言ったのではないかと思いますが、いかがですか。薩摩隼人の稲盛さんは、ある意味でバーバリアンでしょう。私などは文字どおりのバーバリアンで学生の分際で大先生に公然と食ってかかったり、酒を飲んで先輩を突き飛ばしたりもしました。それで外へ出され、結局、国際日本文化研究センターの所長になったわけですが、バーバリアンであるために苦労してきたのは確かです。でも、苦労してよかったと思います。研究室の中で飼われているおとなしい動物になったら、ダメになっていたでしょう。

まあ年をとって若き日のような乱暴はしませんが、行動において多少ジェントルマンになったとしても、発想は絶えずバーバリアンである必要があります。京セラの会長であれば、品位のある会長でなければ困る。しかし、心の中には絶えず知的バーバリアンの精神を持っているということです。ヨーロッパのインテリはキリスト教のモラルをどこかに持ちながら、知的な面ではバーバリアンです。ところが、日本では知的バーバリアンが少ない。画一的な方向を大事にするので、バーバリアンがなかなか育たないのです。

話は変わりますが、中曽根康弘・元首相がかつて臨教審（臨時教育審議会）をつくって教育を改革しようとしましたが、あれは、ねらいには先見の明があったと思いますが、あのときは方向がぼんやりしていました。中曽根・元首相自身もあまりはっきりした教育論を持っていなかったし、そこに参加する学者がほとんどは独自の教育に関する理論を持っていなかったように思います。

ただ、今は臨教審をつくることよりも、「心の教育」をいったいどう考えるかという作業が必要でしょう。稲盛さんがおっしゃるように、道徳ばかりではなく宗教も教えるという視点が求められていると思います。子供のときから宗教を教えていないために、免疫性がない。そこに邪教に引っかかる余地が出てくる。インチキな宗教に引っかからない免疫を養っておくということは大切だと思います。キリスト教がどうだ、仏教がどうだ、イスラム教がどうだと教えていれば、インチキ宗教に引っかかるはずはない。

宗教教育というと、たとえば浄土宗が運営している学校で浄土宗の教育をするというふうに、普通は考えられていますが、公立の学校において、仏教のいろいろな宗派、キリスト教、イスラム教、ヒンズー教など、世界の宗教の特徴と問題点などを教える必要があるような気がします。

それから、今の日本の教育が詰め込み教育になっていることも見直していくべきでしょう。詰め込み教育というのは、できあがった学問をよく理解して、それを応用する。そういう秀才を養成する教育です。新しい視点から考えるとか、とんでもないようなこと——独創的なこと——を考えるという教育ではありません。

そういう点において、アメリカ、ヨーロッパの教育は優れたところを持っていて、新しいことを考える力が育まれていると思います。この点においても、日本の教育、特に今の偏差値教育というのは、知識人をつくるだけに終わっている。創造性がなく、学校で習ったことはできるけれども、それ以上のことができない。だから、難局に直面すると、まったく知恵が出ない。しかも、道徳的な感性をまったく持たない知識人なのです。そんな人間ばかりを日本は養っているような気がして仕方がありません。

日本の教育は、小学校が九〇点、中学が八〇点、高等学校は七〇点、大学は六〇点、大学院に至っては四〇点というふうに、私は点数をつけているのですが、上へいくほど悪くなっています。

本来、高等教育になればなるほど、創造性が求められるのですが、偏差値教育の優等生はとかく創造性のない人ですし、第一、教師が創造性をつぶす方向で教育をやっているかもしれない。同じ大学を進学していかないと、学者としてよい地位につけない。それで、大学で四年、大学院修士課程で二年、博士課程で三年、合計して九年間、同じ教授の下にいなければならない。その教師が凡庸だったらやりきれません。その教授に気に入られないと学者としてやっていけないとしたら、創造的才能の持ち主は自らの創造性を否定しなければ学者として生きていけません。いや、凡庸な教授でなくても、九年間、同じ教授についていたら、学問は狭くなる。こういうところから、基本的に直していかなければいけません。

環境問題の解決にも「心の教育」が重要だ　稲盛

さらに考えると、道徳、心理学、宗教などを取り込んだ「心の教育」は、環境問題に対しても意味のあることだと思います。地球環境が危険な状況だと警鐘が鳴らされていて、昨今、非常に話題になっています。それも「心の教育」がなされていれば、どうすればいいのかということが、あわてふためくことなく理解できるはずです。

たとえば、梅原先生がおっしゃっている「共生と循環」という哲学、これは環境問題を含めた、現代の世相を考える哲学ですが、環境問題に限って言えば、「共生と循環」で成り立っている自然環境を大事にしようではないかということだと思います。

「心の教育」がきちんと行われていたなら、共生のコンセプトも循環のコンセプトも、実践的なレベルで理解できると思います。そして、みんなが「共生と循環」の哲学に共鳴し、ある程度の犠牲を払ってでも、「やるべきことをやりましょう」となるだろうけれども、「心の教育」がなされてこなかったものだから、多くの場合、エゴだけで環境問題を考えています。エゴだけですと、行き着く先はエゴとエゴのぶつかり合いとなる。すると、共生するどころか循環という考え方でさえ蹴飛ばしてしまいます。そこに環境問題が混乱して明るい展望が開けないでいる一因があると思います。

共生の哲学を考えていくと、「心」の探究につながると思います。社会は相手があって成り立つのですから、社会を構成する人間同士が自分の自我を極大化したのでは生きられません。相手に対する思いやりが必要です。それは人間だけではなく、他の生きとし生ける動物・植物にまで、極端に言うと、無生物に対してまで、そういう優しさと思いやりがいる。この地球上で生きていくためには、あらゆるものと共生しなければいけません。

梅原先生のおっしゃる共生の哲学の要点は、以上のようなことになると思います。そして、東洋のほうが共生の思想が強いので、東洋哲学を西洋に教えてやるべきだ、とおっしゃった。ただ、私は西洋的感覚からでも、十分、共生を理解することができるのではないかとも思うのです。

たとえば、人間がある種の恐怖心に襲われると、細胞の免疫まで落ちて、細菌などに冒されやすくなるというのは、現在の医学である種の常識になっております。私のような経営者が、現在のような不況期において、明日にも会社がつぶれるのではないか、と心配していると、胃潰瘍になったりします。この胃潰瘍は物理的に引き起こされたものではなく、心労を患ったためであり、要するにストレスによって胃に穴があいたわけです。

これは現代医学でも理解されていることです。つまり、「心の作用」が、肉体に直接、現象を引き起こすというのは、現在の医学の世界でもポピュラーな認識になっているわけです。そういう面から「心の作用」あるいは「心」とは何か、と、西洋的な感覚で考えていくと、人間だけのものではない、という結論が引き出されてくるのではないでしょうか。

たとえば、庭に植えられている木々を見ましょう。新緑の時期にはだんだんと枝に新しい葉がついていきます。桜の蕾は二日ほどで開いていく。こういう現象を見ると、植物にも「心」みたいなものがありそうだ、と考えてもおかしくはない。つまり、勝手に花が開いたりするはずがないという考え方です。植物は四季を知っていて、今が花を咲かすときだと知るから、桜は春に咲く。これを「心の作用」と呼んでもいいのではないでしょうか。「植物は温度とか日照時間に反応して、開花したり、新しい芽を出したりする」というのが科学的な解説ですが、それを総称して、私は「心」と呼べるのではないかと思うのです。

ですから、「それは光センサーみたいな機能が植物にはあるからです」「日照時間の長さを感ずるのです」という説明でもいいのです。植物の細胞が持っている何かを感ずる作用を総称して「心」ととらえる。人間の細胞にもそういう作用があり、それをわれわれは人間が持っている

「心」と呼んでいます。何も大脳で考えることだけが「心」ではないのだ、というふうに考えてくると、自然に対するいとおしさ、優しさというのが生まれてきて、自然界に存在するすべてのものと一緒に生きなければいけないのだな、という摂理がわかってくると思います。そうだとするならば、環境問題も、梅原先生がおっしゃった「心の教育」が大事であるというところに帰結しそうな感じがします。

自分の欲望を貫けば他人と共生できない　梅原

たとえて言うと、ひとつの木は、できるだけ日光を吸収しなくてはいけない。だから、ひとつの木がどこへ枝を出すかということは、京セラがどこに支店を出そうか、どこに工場をつくろうかというときの決断と、ある意味で同じようなものなのかもしれませんね。木々の枝ぶりを見ますと、一つ一つの時期に決断している。おかしなところに枝を出せば、場合によっては木そのものが枯れるかもしれません。だから、いろいろな方向に枝を出して木が生き続けているというのは、その木が「生きる」という意思を持っていて、自分が生きていくための決断を何回も繰り返した結果なのだ、という気もします。ひょっとすると、「このときにこっちへ枝を出したほうがよかったのかな」と反省することもあるのかもしれない。

さて、稲盛さんもおっしゃったように「心の教育」の中には、他の人間と一緒にどうやって生きていくかというテーマも含まれるべきです。私が思うには、自分の欲望を絶対化する――自分の欲望を貫くと言い換えてもいいですが——と、他人と共にやっていけないでしょう。他人に対する愛、思いやりが人間関係の根幹なのです。近代の道徳はそれだけだけれども、もうひとつ言えば、他の動物に対する思いやり、これが共生です。さらには植物との共生もある。そこまで考えなくてはならないと思います。人間ばかりではなく、他の生きとし生けるものとの共存を図るというのは、東洋の倫理では受け入れられやすい下地があります。西洋の倫理より東洋の倫理にそういう思想が強い。

私どもは西洋からたくさん学んできました。近代科学の合理的な精神は西洋から学んだものですし、これからも学ばなくてはならないことがたくさんあると思うのですが、自然に対する関係のあり方、思想は、むしろ東洋が西洋に教えるべきものではないか、というふうに考えているのです。残念なことに、そういう文明の伝統を忘れてしまって、今の日本では西洋以上にエゴ——自我——の欲望が絶対であるという思想によって支配されています。そして、他の生き物に対する共生の精神を忘れているような気がします。

学問の世界は開放すべきである　稲盛

それから、教育の世界を広くとらえますと、日本では学者と経済人との協力が珍しいケースになっています。これは前にも言いましたが、士農工商という階級意識のようなものが、日本人のメンタリティの中にあるからだと思います。学者の方は「武士は食わねど高楊枝」というような意識で、貧乏しても誇りだけは持っていらっしゃる。お金儲けだけを追求する連中と比べて、われわれは違うのだというプライドが、貧しい生活の中でも学問に打ち込む姿勢を支えていた面もあるでしょうから、一概に悪いこととは言えません。しかしそういう意識が産学の協力の妨げになっていることも事実でしょう。もうひとつは、学者の方々に戦後の左翼思想のため資本家、事業家は労働者から搾取をしてお金を儲けているのだから、そういう人間と一緒に仕事をするのは許せないという気持ちもあるように思います。

そういう風潮が日本ではずっと続いてきました。しかし、アメリカあたりでは産学協同が当たり前どころか、それがなければ学問は進められないというくらいになっています。研究のプロジェクトはもとより、教授職にしても企業名を入れたものがいくらでもあります。私どもの京セラも、アメリカの大学で京セラ教授職というものを設けております。MITにひとつ、それからケースウエスタン・リザーブ大学にひとつ、ワシントン州立大学にひとつで、合計三つあります。

当時の額で一〇〇万ドルを寄付したら、各学校とも京セラ教授職を置き、助手をひとり、秘書も置いて、研究するような体制を取りました。面白いことに、ある大学では元金の一〇〇万ドルを一七〇万ドルに増やしています。つまり、企業が出した資金を使い尽くすのではなく、優秀な人を任命して財務運用をやらせ、投資・運用の利益で教授を養い、研究をさせているのです。教授職だけでなく、共同研究ももちろんそうです。それで元金を七割も増やしている学校がある。アメリカらしいと言えばそれまでですが、なかなかいいシステムだと思います。そういうところですから、収支決算も毎年送ってきます。寄付した側にすれば、出し甲斐がある、という感じがいたします。

また、アメリカの大学だと、たとえば「梅原講堂」とか「梅原教室」というような建築物が当たり前です。州立であれ、プライベートな大学であれ、個人名を冠した施設がたくさんあります。

先般、日本でも文部省が冠講座を認めました。しかし、認められた冠講座というのは、一年間で何千万円ずつ使って、五年間でいくらかかるからその額を寄付するというもので、使い切ってしまってなくなる類いの寄付なのです。日本の文部省はアメリカの真似をして、冠講座を認めると言ったのですが、全然違っています。

私はアメリカ型のほうがいいと思います。たとえば、一〇〇万ドルを寄付されたら、それを運用する。それで出た利益を使っていけば、元金は減らずに長い間、講座なりプロジェクトなりが続きますし、うまくすれば元金が増えて、もっと多くの研究ができるようになるかもしれません。

それに、現在のような使い切りのシステムでは、大企業にしか参加できないと言ってもいい。実際、冠講座にお金を出しているのは大企業ばかりです。私はそうではなくて、もっと個人の寄付を大事にするようなシステムが必要だと思うのです。たとえば、ご主人の亡くなった奥さんが、ご主人が学問好きだったからその名前をつけた冠講座をつくりたい、ということがもっと認められていいのではないでしょうか。ご主人が残してくれた家屋敷を入れて三億円の資産があり、そのうちの二億円を出して、たとえば「梅原」という講座をつくり、それが永遠に続くとなれば、研究する人にも役立ちますし、寄付する側も幸せになれる。そういう冠講座でなければいけないと私は思っています。

そのためには、大学関係者の意識も変わっていかなければなりません。日本で個人が大学に寄付しようとすると、必ず学者の中から一人や二人は反対の声が出てくるようです。ましてや、お金を出した人間の名前をつけるなんて売名行為を、大学は認めるわけにはいかないという気分はけっこう支配的ではないかと思います。

ですから、お金は本当は必要なのに、大学は「もらってあげます」という態度で寄付を受けているのです。しかし、貴重なお金を寄付していただくのだから、喜んで名前をつけてあげるくらいしてもいいのではないかと、私は思います。

人生における最高の贅沢　梅原

冠講座は全大学で二十何件しかないのです。それも、大きな大学がわりあい少ない。文部省としてはできるだけ奨励しているけれども、少ないのです。だから、研究者はたいがい資金難で苦しんでいます。大学よりも、私どものような研究所のほうが冠講座を採用しているところが多い。研究所はだいたい所長の意思で運営しますが、大学は教授会があって、その教授会にかけると、必ず一人や二人の反対が出てくる。だいたいその反対者は左翼的な公式論を唱えるものです。企業の汚れた金をもらうのはいかん、と言うわけです。そうするとあまりそれに反対できない。

話は別になるかもしれませんが、アメリカなどを見ていると、成功した企業人、資本家は最後に大学をつくるケースがあります。人生における最後の贅沢と言うのでしょうか、あのロックフェラーはシカゴ大学をつくりましたし、デューク大学はタバコ王がつくりました。企業家のほうにも知的なことに貢献したいという意識があるのだろうし、また大学のほうも喜んで企業家を迎える意識があるのでしょう。日本では大学がこんなことをやったら、「企業の宣伝のためにこんなものをつくりやがって」という批判しか返ってこない。企業と大学が離れているのは、たいへん不幸なことだと思います。この問題は、インテリの考え方と、企業の考え方、その両方の考え方が変わらないと、むずかしいと思います。

大学について一言つけ加えさせていただきますと、日本の国立大学は親方日の丸に保護されて反体制を叫んでいる教授が多い。私はそういうことをしていたら経営に影響する私立大学のほうに期待したい。ひとつの大きな理念を持った私立大学が出てきてほしいですね。

築いた資産は一時の預かり物でしかない　稲盛

今はどうか知りませんけれども、欧米の場合には実業家が学校をつくったり、学問に基金を醵出したりと、社会に還元することが少なくない。たとえば、鉄鋼王のカーネギーなども大成功した後は、稼いだお金を社会のために使いました。カーネギーは学校にいけなかったから、若い頃に図書館で勉強したそうです。その図書館で勉強したことが、自分の人生の後半に役立ったというので、全米規模で図書館を寄付しています。一生懸命に働いて稼いだお金は現世における預かり物である。だからそれを社会に還元して死にたいという非常にオーソドックスな思想を持っていました。

日本でも古い倫理観の中に、現世におけるお金は一時の預かり物だという思想があります。欧米の場合はそれがプロテスタンティズムによるものかどうかはわかりませんけれども、ヨーロッパのキリスト教文化圏の中には成功した人は死ぬまでに、お金を社会奉仕に使っていくという考え方があるように強く感じます。それも相続税対策なんかではありません。遺産相続でかかる税金が少ないのにもかかわらず、財産を公のために使うのです。また、研究機関にしても、それをたいへん喜んで受け入れている。たとえば、カーネギーがつくったカーネギー財団からの援助を非常に喜んで受けています。

日本の場合、なかなかそういう企業人、実業家が出てこないのは、受け入れるシステムがないことも影響しているのではないでしょうか。私は株券と現金合わせて二〇〇億円を醵出して稲盛財団をつくり、「京都賞」という顕彰事業を始めようとしました。そのときに、まずそれを認める役所が「これを認めるものかどうか」と逡巡したのです。つまり、財団というのは、多くの人の浄財を集めてつくるのが常道であり、特定の人間のお金でつくる財団は異例だというのです。結局、私の申請は認可されましたが、財団の中でも身分が低いのです。と言っても、役所から見ての身分ですが。

役所が考える素性のいい財団というのは、みんなから少しずつお金を集めたところです。私がそうしなかったのには理由があります。実は日本では、経済団体が一年に一つや二つは財団をつくっているのです。それは誰かに入れ知恵されたり、誰かが持ち込んできたものです。

そういうときに、われわれに奉加帳が回ってくる。何百万円か何千万円かのお金を出してくれ、と言ってくるわけです。私はそれに長い間つきあわされてきて、「いい加減にしろ」という気分になっていました。つまり、財団をつくる中心人物が理事長とか専務理事になりたいのなら、自分のお金でやれ、と思ったのです。他人のお金をあてにし、それも当たり前みたいに集めて、一部の人たちが勝手に財団を運用しているのはおかしいではないですか。財団の目的が立派なら、自分でやればいい。だから、私が財団をつくるときには、他人からお金を集めるのはみっともないという気持ちで、全部自分のお金でやったわけです。

しかし、みんなからお金を集めて財団をつくるのは当たり前だけれども、ひとりで犠牲を払ってやるのだから、「あんたは偉い」と言われるのかと思ったら、これが全然違いました。そういうのは格が一段下で、他人の褌でええ格好するものをつくったほうが、あるべき財団なのだと言う。

どうしてそうなのかと言うと、個人で財団をつくる裏には、つくった人間が恣意的に利用する目的があるのではないかという猜疑心が、頭から役所にあるからです。自分の財産を隠匿するのでなければ、大金を出すバカがいるわけがない、何か意図があるのではないか、とまず疑ってかかっている。これでは、個人の財産を社会に還元しようという人が増えるはずはありません。

人間はお金を持っては死ねないのです。そういうことがわかっておられる方もたくさんいらっしゃるはずですから、その人たちを応援し、受け入れる気持ちとシステムさえあれば、個人で寄付するという行為はもっと増えると思います。残念ながら、まだ日本の社会環境はそうなっていません。

今必要な三つの教育　梅原

将来的には稲盛さんに大学を自らつくるようなことも考えていただくと面白いですね。いくら大学に寄付しても、大学自体が旧態依然だったら何にもなりません。寄付するのを拒否するような人のいる大学へ寄付しても、効果は小さいと思います。せっかくなのですから、大学をつくってしまうほうがお金も生きるし、社会への還元にもなります。

アメリカで大学をつくる背景には、「新しいものをつくってやろう」という理念があると思うのです。今の日本には、そういう理念のある私立大学は、戦後ほとんど見当たらないと言っていいでしょう。それでいいはずはない。かつて慶応や同志社がつくられたときのような、新しい理念で教育を始めないと、日本はやっていけないような気がします。

日本の教育で足りない教育が三つあると私は考えています。一番目は創造的な教育です。日本の大学は、西洋の知識を学んで取り入れ、それを咀嚼する人間——いわゆる秀才——はたくさん養成できます。しかし、自分で考えて、自分で行動する人間を養うことはできていないのです。

それから、環境教育です。これはたいへん大事なことです。しかし、現代教育のどこにも受け入れられていません。最近は環境学科をもつ大学が出てきていますが、単に、環境を名前に掲げて、文部省で通りやすいようにしたという類いのものが多い。本当の環境教育を子供のときからやり、高等教育でも専門技術の中に環境問題を視野に入れた研究が行われる必要があります。

環境教育はだいたい二重の教育です。一つは人間と自然という意味が素晴らしいものであり、人間と自然のつきあいを教える。もう一つは現代文明がいかに環境破壊を行ったかを教える必要があります。前者だけだとロマンティックな教育になりますが、後者だけではそれも一つの知的教育になります。環境教育は知情合わせたものにならなくてはなりません。

最後に、心の教育です。自分の利益だけではない「善い生き方」というものを、子供のときから教えていかないといけない。そして、真理とか善とか、あるいは美とかいうものがどんなに肝心なものかを教えてあげないとダメです。

こういった新しい教育が、今、必要なのだと思います。そういう教育は、なかなか国ではできないので、私立から始めていかないとむずかしいような気がします。そういう意味で、哲学をもった人が新しい学校を開くことは、日本にとっても世界にとっても大きな意義があると思います。

第五章

「行き詰まりの時代」を開く方法

——梅原 猛——

社会主義の崩壊と資本主義の危機

戦後活躍した多くの日本の思想家は、多かれ少なかれ社会主義体制というものを認め、それに加担する方向を向いていました。マルクス主義の立場に立たない人でも、社会主義国、ソビエト連邦や中国には好意的な発言をする人が多かったのです。そういう流れの中で、私はマルクス主義と社会主義体制を批判してきました。「社会主義体制は人間に幸福をもたらすものではなく、むしろ人間の自由を抑圧し、人間社会に憎悪をまき散らすものだ。マルクス主義の思想の根底にはルサンチマン――抑圧された人間の憎悪というものが隠れていて、そういう思想では人間は幸福になれない」。こういうことを語ってきたわけです。当然のことながら、「国家主義者」「反動」と厳しく指弾されました。ところが、そのソビエト連邦をはじめ多くの社会主義体制が崩壊してしまった。批判していた私でさえこれほど早く社会主義体制が崩壊するなどとは、まったく予測することはできませんでした。

こうした事態に際して、「それみたことか」という感慨はありませんでした。もちろん、社会主義体制の崩壊に痛みを感じることはなかったけれども、積年の敵が敗れ去ったと喜ぶ一部の思想家とは違った思いを抱いたのです。一つには、社会主義の崩壊があまりに早かったことに驚かされたということ、これが正直な感想です。そして、もう一つは資本主義もまた危機に直面しているのではないかという予感です。

ソビエト連邦をはじめとする社会主義体制の崩壊に対して資本主義万歳を唱え、資本主義体制が最後の勝者として末永く繁栄するだろうという声が、一方では上がっています。ちょうど日本がバブル景気の最中にソビエトの崩壊が起こったのですが、バブル景気万歳とはしゃいだ人もいました。しかし、私は資本主義体制の勝利を喜び万歳を唱える人に与しません。それどころか、資本主義はうかれていられる状態ではないという危機感のほうが強いのです。

実際、バブル景気の中にあった資本主義というものは、どうにもならないくらい危険な代物でした。もちろん、マルクス主義に基づく社会主義体制よりは住みやすいし、自由があるだけましです。しかし、諸手をあげて歓迎できるようなものではない。これは、今や資本主義もたいへん危ない水域に漂っていると考えなければならない、ということです。社会主義崩壊の次には資本主義崩壊が起こるのではないか。そういう予感を否定することはできませんでした。

その思い――資本主義への危機感――は現在もなお続いていて、消えるどころか年を追うごとに強くなっています。資本主義の危機を示す兆候は、バブル景気の崩壊とともにますます顕著になっているように感じています。社会主義の崩壊の次に資本主義の崩壊がくるという予感は、当たってほしくないのですが、日々、真実味を増しているといわざるを得ません。

「原点に帰る」ことが求められる時代

この資本主義に対する危機感は私だけのものではありません。京セラの稲盛さんも同じような危機感を持っていることを、今回の対談を通して感じました。そして、現役の経営者である稲盛さんが考えた危機を克服する道は、「資本主義の原点に帰れ」ということだと、私は理解しました。私の言葉でいえば、「資本主義の倫理化」ということです。これは、現在の資本主義が道徳的にかなり頽廃していて、そこに危機の原因があるという認識から導き出された結論です。「資本主義の原点に帰れ」という稲盛さんの思想は、まさにそのとおりだろうと思います。マックス・ウェーバーは「片手に聖書、片手に算盤」というニュアンスの考え方を持っていたけれども、西欧における初期の資本主義はとにかく片手に「聖書」を持っていた。この「聖書」が意味するところは「宗教的限定」であり、つまり経済活動に倫理的な限定があるということです。具体的にはプロテスタンティズムにある禁欲主義、自分の欲望を抑えて仕事にはげみ社会に奉仕するという倫理だったと思います。

ところが、今の資本主義には聖書も何もない。両手に算盤という姿です。算盤以外に人間の行為を決める基準はなく、資本主義の精神はとにかく儲ければよいという不健全なものになっています。いつの間にか、倫理もない、文化もないという姿に、資本主義がすっかり変わってしまっているのです。とりわけ今の日本ではお金を儲けることはインターナショナルな活動として、そこには何ら抑制がない。その意味では、日本人のアイデンティティが「普遍的儲けの哲学」になった観さえいたします。実際、今の日本人の生活を支配する規範は「儲かればいい」ということでしょう。後はゴルフをやり、カラオケをやり、頭の中が空っぽであればあるほど今の世の中は暮らしよい。実に恐ろしい精神状況になりつつあるといわざるを得ません。

もう一度、われわれは資本主義の原点に帰るべきです。ヨーロッパでいえばプロテスタントの倫理ということになりますが、日本でいえば江戸時代の資本主義が発展するときに生まれてきた心学となります。心学は、儒教や仏教など日本にあったさまざまな倫理を総合し、当時の民衆にわかりやすいような日常的な教訓として示された「人間の倫理」だったと思います。商人たちは片手に心学、片手に算盤を持って、ビジネスに取り組んだのです。また、近代に入ると、福沢諭吉が「近代の商人」における道徳を説きました。独立自尊という自らを尊敬するという意識、倫理観がそうです。経済活動において片手に算盤を持つのは当然としても、もう一方の手には算盤以外の規範、倫理というものを持っていなければ、アンバランスになってしまうのは自明の理というべきでしょう。その自明の理をふまえて生きることが、今の日本人に必要なことだと思うのです。

企業は何のためにあるのか

「資本主義の倫理化」を実践する具体的な方法は、第一に企業が倫理的規範をきちんと掲げることです。そして、「企業は何のためにあるのか」ということを、企業のトップが社員に伝えるのです。松下幸之助は「会社は何のためにあるのか」ということを主張しました。あの頃はまだ日本人の道徳心は少しは残っていたと思いますが、今は道徳の遺産も使いつくし、あの時代よりもっと企業は道徳を失っています、それだけにますます松下幸之助のような人が必要なのです。「商人の道」を離れて資本主義の倫理はありません。

そもそも企業は何のためにあるのでしょうか。人々がいい製品を買うのは、それが役に立つと思うからです。つまり、企業活動はただ儲けるためのものではなく、社会に効用を提供しているのです。言い換えれば、企業は利益を追求するなかで社会的な任務を果たしているのです。そういう会社の持つ役割、意味を社員の意識に徹底的に植えつけることは、重要な社員教育です。道徳を家庭でも教わらず、学校でも教わらず、その上、会社でも教わらないとすれば、人間には道徳などは必要でなく「会社というのはただ儲ければいいものだ」と思い込んでしまうのも無理はありません。

会社がただの営利団体ではないということを徹底すれば、倫理的にやってはならないことがあるという判断も出てくるはずです。会社が自己倫理を持てば、社員に対しても倫理的行動を要求できます。逆に、会社は儲けるために何でもしていいということになったら、社員に対して倫理を要求することは不可能です。

改めて考えてみると、現在、企業が目的を失っているという面も見えてきます。つまり、儲けること以外に目的がみつからないのです。これは日本の国家に目的がないのと関係しています。日本には「日本株式会社としての目的」はあるけれども、国家としての目的は見当たらない。日本における企業の力は大きいですから、企業に思想も倫理性もないとするならば、国家に思想がなく、倫理性もないのは当たり前のことなのかもしれません。しかし、それでは生きていけない時代が来ている。「儲け」だけを追求する資本主義は危ないと考えざるを得ない時期に、われわれは足を踏み入れているのです。

道徳の喪失がもたらす危機

このことは企業だけの問題ではありません。今の日本人が直面している重大な精神的な危機があります。それは道徳の喪失ということです。

太平洋戦争までの日本は、「親に孝、君に忠」という忠君愛国の道徳にすべての道徳的価値を吸収し、「教育勅語」としてまとめあげました。そこに問題がありました。西欧では市民道徳という位置づけにある近代道徳を、日本は天皇から下される教育勅語に集約してしまったのです。西田幾多郎の著書『善の研究』では、「善」というものを研究されるべき課題としていますが、教育勅語は「善」を研究しなくてもいいという立場に立っています。なぜなら、「善」は天皇によって与えられるものであり、市民社会の道徳は天皇から与えられた「忠孝」以外にはないとするからです。明治時代以降の日本人は、こういう道徳を信じさせられました。

西田が「善」を研究したとき、彼は「忠君愛国」「教育勅語」と異なる道徳を作ろうと考えていたのではないかと思います。しかし、西田が道徳で「忠君愛国」と「教育勅語」に抵触したら、教授の職を棒にふらなければならない危険が出てきます。以後西田が道徳の問題をあまり考えず形而上学的な神秘な思弁にふけったのも、その危険のせいだと思います。考えたら危ないのです。結局、市民社会の道徳というのは、日本でついぞ作られることがありませんでした。

ところが、昭和二十年の終戦を境にして、今度は戦前の道徳――「忠君愛国」「教育勅語」――が悪であるということになった。この変化は市民道徳における一つの出発点となるはずのものでしたが、現実には道徳に対する信頼感を失わせることになりました。「道徳というのはしょっちゅう変わるものだ」と思ったら、人は道徳をあまり信用しなくなります。そういう道徳の変更を経験したのがまさにわれわれの世代で、多くの人々は道徳に対する懐疑主義者になったと私は考えています。

したがって、戦後の新しい道徳は確たるものとして成立しませんでした。多くの日本人が道徳に対する懐疑主義者だったのですから、新しい道徳を求めるはずはありません。戦後の日本人は多かれ少なかれ道徳的懐疑主義者なのです。それで、父親が子供にまったく道徳を教えなくなった。そうすると、教育は母親に任されますが、その母親も教えない。多くの母親はわが子をいい学校に入れて、いい会社に就職させることを念願し、道徳なんて難しいことをいわずに、とにかくいい学校に入れればいい、いい会社に就職できればいいと願うわけです。人間はどう生きるべきかなんて考える必要はなく、いい会社に入るのが一番いいのだという考え方だったともいえるでしょう。これも一つの哲学です。功利主義的道徳です。戦後の日本人の多くがまったく安価な功利主義的道徳の無意識の信者であったわけです。

一方、学校のほうはどうだったのか。文部省が道徳教育をやろうというと、道徳教育は国家主義の教育だということで日教組が反対しました。日教組からすれば、本当は資本主義を否定し社会主義革命を目指す道徳を生徒に教えたいと思うが、それは父兄に反対されるので、資本主義社会を肯定するような道徳教育にはまったく反対で、社会主義にそまりやすいように、道徳に対する無知の状態に子供をおいておいたほうがよいと考えたのでしょう。今は一応道徳教育の時間はあるのですが、実質的に道徳教育はほとんど行われていません。

したがって、家庭でも道徳教育は行われないし、学校でも行われない。こうして道徳というものをまったく教えられていない子供たちが育ったのです。そういうところからオウムの事件なども起こったといっていいでしょう。宗教も知らないし、道徳も知らない、もっといえば、人間についても何も知らないという赤ん坊のような人間が何か目新しい宗教らしきものに触れると、安易に信者になる。そしてその宗教を信ずるとそこでは道徳も決まってくるし、何をすべきかも教祖によって決められる。そういう世界を何か精神的に深いものと思い誤るのです。宗教や道徳というものをまったく知らないから、いかがわしい宗教へ走り、それを無批判に近い形で受け入れてしまうのです。

心の教育を本気で考えなければならない。そして、人間というのはいったいどういうものかを教える「教育」の必要性を痛感いたします。「人間は一人では生きられない。共に生きることが必要だ。自然と共生し他の人間と共生する」ということを基本的に教えていくことは、何よりも重要なことです。道徳について懐疑主義者であったわれわれの子供には、とんでもない人間が生まれてきています。そのとんでもない人間を生んだのは、われわれの責任なのです。これ以上、その悲劇を続けないために、教育の問題を根本的に考えねばなりません。

すでに、道徳の崩壊がもたらす危機を象徴するような現象が、今の日本に出てきています。かつてキリスト教が西洋の道徳を支えていました。それが崩壊していく過程で、まったく道徳を信じないニヒリストがたくさん出てきた。そういうニヒリストの中から社会主義者が生まれたのですが、「社会的な正義の実現のためには何人殺してもかまわない」という人間が出てきました。ドストエフスキーはネチャーエフ事件にショックを受け、『悪霊』という小説を書いたのですが、ネチャーエフ事件はオウム真理教の事件の一万分の一くらいの事件です。ネチャーエフ事件の一万倍、いや、それ以上に恐ろしいことがオウム真理教によって日本で起こったのです。

両者の思想はだいたい同じで、「旧社会は腐敗しているから、それを壊すためにはどんなことをしてもいい。殺人もかまわない。ウソもかまわない」というものです。ドストエフスキーは、社会主義者はそういう道徳も宗教もまったく信じない無神論の一形態とみています。そういう思想がもとになって、二十世紀初頭のロシアではレーニンの革命が起こりました。しかし、社会主義の道徳だけが正しいとして、他の道徳を否定して築いた社会主義体制の社会が崩壊したのですから、今のロシアには道徳に関する信頼というものがまったく喪失しているのではないかと思います。このまったく道徳心を持たない人間の存在が今後の人類社会の大きな問題でしょう。

日本でもその事情はあまり変わらないはずです。先ほどもいいましたが、日本人は社会主義を信じたわけではないけれども、それに近い思想をどこかで持っていました。また、思想家、知識人の多くが社会主義に沿った方向で言論を動かしてきました。したがって、社会主義が崩壊すると、それまでの規範、基準が崩れたことになり、まったく道徳がなくなってしまうのに等しい状態になるのです。宗教が否定され、道徳も否定されて、何ら倫理的規範を持たないという恐るべき時代に入ったといえるでしょう。今、そういう道徳喪失という問題の深刻さがやっと日本人にも意識されるようになったという気がします。

だから、みんなが迷っているわけです。そういう時代においては、「原点」に目を向け、そこに軸足を置いて生きる他に道はないのだと、私は考えます。

身近なところに「倫理」の源を求める

そこで、われわれはどのようにして「新しい道徳」「新しい倫理」を構築していくのか、という問題が出てきます。たとえば、先ほど挙げた西田幾多郎の「善」の観念には神秘主義的な傾向があり、そのまま企業の倫理、あるいは労働者の倫理になりうるものではありません。では、どうすればいいのか。私は、「労働そのものに倫理的行為がある」ということから考えていくより仕方がないだろうと考えました。倫理というのは遠いところにあるようなものではなく、身近なところにあるものです。たとえていうと親鳥が子供のために一生懸命餌を集めて巣に戻ってくるようなものに倫理を見いだせるのではないかと思うのです。

自分は食べなくても子供に食べさせるというのが、生物の基本的倫理です。この行為を家族単位で見れば一家族のエゴイズムとなるのですが、「親」と「子」という個体の関係から見れば親は子のために犠牲を払っているということになります。たとえば、鮭が遠いところから生まれた川に帰ってきて卵を産み、そこで死ぬというのは、母親の鮭の倫理的行為だろうと考えられるわけです。そういう手近に発見できる倫理的行為、言い換えると「生物の基本」「人間の原点」というところから「新しい道徳」を考えるべきではないでしょうか。

西田幾多郎は大きな世界の中で自己実現していくことを善と考えました。それは高邁な思想へと発展することが可能なのですが、ともすると高級な哲学者だけが倫理的だというふうにとられる危険性を持っています。私は、倫理というものは手近にあり、庶民のほうがむしろ「本当の倫理」を知っているのではないかという気がしているのです。

われわれの普段の生活のなかにある「倫理の基本になるもの」は、「自利利他」ということだと思います。菩薩道という表現をつかえばたいへんむずかしいことのように思いますが、自利利他といえば、ふつうの人間のやっていることです。他人に利益を与えることが自分にも喜びであり、楽しみでもあるということです。たとえば労働がそうです。人間が働くのは自分が食べるためです。しかしたいていの場合はただそれだけではありません。それはまず家族を養うためであり、そして会社をよくするためであり、国を豊かにするためです。労働には何重かに利他行が含まれているのです。そして時には人間は自利より利他を優先させることがあります。卑近な例を挙げると、親にとっては自分の腹が減ったときに自分が食べるよりも、腹の減った子供に食べさせたほうが喜びである、というようなことです。また、子供としても、自分を犠牲にして親を喜ばせることが、自分が喜ぶよりもうれしいということもあるでしょう。そういう家族の関係から利他の心は起こってくるものだと、私は思っています。

この利他ということでは、阪神・淡路大震災でボランティア活動が活発に行われたのも一つの事例といえるかもしれません。現実の世界ではあまりに利他精神が希薄ですから、ボランティアに従事することによって自分の利他精神が実践されたような気持ちになります。それはそれで利他精神が目覚めるのだから、いいと思います。ただ、ボランティアにいった人が日常生活に戻ったときにどうなるか、ということを私は心配します。ボランティアにいった人が職場に戻ったとき、職場に迷惑かけたという理由でうとまれているのではないかと思うのです。そう考えるのも、利他精神を発揮する機会が日常的な世界であまりに欠如しているからです。

今の日本において、職場のなかに利他の行為を行う機会がどれだけあるでしょうか。また、職場で利他の行為に対して、理解と共感があるでしょうか。人間というものは、元来、利他精神を発揮したいものなのです。ところが、日本の場合、日常生活で利他精神が発揮しにくい。そこで、災害などのアクシデントが起こったときに、利他精神を充足する場としてボランティアが行われるという面がなきにしもあらずだろうと思います。本当は、利他精神を持つ人がたくさん会社に入って、そこで活き活きとして生きていけるというのが理想的なのですが、どうもそうではないような気がします。

家庭が、あるいは職場が利他精神の人を活かせるような場でなければ、本当の利他精神は十分に発揮されません。自利は利他であり、利他は自利であるわけですから、利他の精神が職場、会社に利を与えないものではない。したがって、「損」「無駄」という認識は間違っているのです。利他という倫理的な規範がしっかりと確立され、利他精神の人が職場でも認められ、出世できるようになってはじめて、利他精神の人が生きられる日常的な場ができたということになります。自利自利のガリガリ亡者が職場を支配し、利他精神の人は日常の場から追い出され、利他の行をボランティアという形でやっている今の日本の状況では、本当の利他の精神は発揮されないと思います。

「心の教育」の三つの柱

さて、「心の教育」ということでは、道徳教育に加えて創造性の教育をも忘れてはなりません。稲盛さんは「資本主義に倫理を」とおっしゃっていますが、その倫理を重視する態度に加えて、創造性というものがいかに資本主義社会に必要かということを身をもって実践し、示しているところに、私は偉大さを感じています。決して詳しく知っているわけではありませんが、京セラの歴史においては、思いもかけないような独創的な発想がその発展の基礎にあったはずです。

そういう創造性というものを、日本人は教育の中であまり重視してきませんでした。その結果、西洋の学問を移入し、それを応用して製品を作るということにはたいへん長けているけれども、学問においても今まで思いもよらない発想で新しい学問を創造するとか、それまでにまったくなかったような芸術を作り出すということは苦手にしてきました。実業の世界でも、思いがけないような新しい観点に立った製品はなかなか生み出せなかった。しかし、そういう「新しい創造的な事業」を稲盛さんはやってこられたと私は思います。

創造性の教育というのは、たいへん難しいことです。創造的な人間をどうやって養成するかということに、マニュアルはありません。物事を記憶する勉強のほうがやらせる側も楽だし、やる側も楽なのです。しかし、創造的な個性があらゆるジャンルでたくさん育っていくような方向に進まないと、日本は行き詰まってしまいます。だからどうしてもやらなくてはいけないのです。

教育の場でも「創造性を大切にせよ」という声がすでにあちらこちらで上がっています。しかし、現実を見ると、「言うのは簡単だが、実行するのは難しい」ということがわかります。私の孫などを見ていると、とにかく塾へ行かなくては話にならない、という状況なのです。塾に通って勉強しないといい中学、いい高校に入れない。いい中学、いい高校に入れないと、いい大学に入れない。こういう連鎖になっていて、土曜、日曜はすべて塾通いで潰される。そんなことを小学校の低学年からやっていたら、ゆとりがまったくなくなり、創造性がゼロになるのははっきりしています。本当は外国の大学のように大勢の学生を入学させて、中でふるい落とすというやり方のほうがいいように思います。

また、そんなに小さい時から塾通いをして詰めこみ教育だけをしていけば、創造性だけでなく、情緒というものが欠如した人間ができはしないかという心配もあります。受験勉強をずっとやってきた人には感動というものがないケースを、私はしばしば見かけました。受験で合格したことが感動くらいで、それ以上の感動はない。喜びもせず、怒りもせず、泣きもせず、さらには道徳もなく、宗教もなく感受性もなく、創造性もない人間が、次々に生まれてくると考えると恐ろしくなります。

面白いことに、社会主義体制が崩壊した時、怒ったり、泣いたり、自殺したり、という現象は現れませんでした。太平洋戦争が終わった時には、腹を切った人がいました。ハンガリー事件では自殺したマルキストがいました。しかし、ソビエト連邦が崩壊した時はソビエト国内でも東ドイツでも、自殺したなんて聞いたことがありません。おそらく共産党の上層部は延命策を考えることに一生懸命だったので、怒ったり泣いたりする暇がなかったのでしょう。しかし、社会主義を信奉した人なら、崩壊したことに悲しみ怒らなければいけないはずです。これは人間の倫理性の低下の象徴であると同時に、情緒性の低下の象徴でもあると思います。

それから、「心の教育」でもう一つ、不可欠だと思うのは「環境教育」です。私は、田舎で育ちました。山紫水明の土地で遊んでばかりいて、勉強はしなかったけれども、今となって思えばその時の「自然と遊んだ」という経験が「共生の思想」とどこかでつながっていると思っています。「環境の教育」という視点も大事です。

今は、海水浴にいくといっても、海水浴場が危ないから砂場にプールを作り、海がその向こうに見えるプールで泳ぐということが当たり前になっています。海で泳ぐのは危ないというのです。おかしな話ではありませんか。そういう危険性の少ない自然の模型、いわば「偽自然」のなかにしか子供を置かないというのは愚かなことです。生の自然は恐ろしくて危険なものですが、そういうものに触れないといけない。危険を怖がって避けていたら、もっと大きな危険が生まれ、襲ってくるような気がします。

やはり、本当の自然、生の環境に身を置き、そこで生きるという経験から、人間の知恵というものは出てくるものだと思います。これは子供の教育に限ったことではありません。疑似的な環境や学習によって得られる知恵は本物ではない。実践の場で学び、習得していく知恵こそが本当の知恵だといえるでしょう。ただし、その「本当の知恵」を得るには、闇雲に実践すればいいというものではないということも、われわれは踏まえておく必要があります。何事もそうなのですが、「基本」を忘れることなく実行し、行き詰まったら「原点」に帰って考えることが大切なのです。さらにつけ加えれば、一つの限界にさしかかった時代に生きるわれわれは、さまざまな面で行き詰まりという事態に直面しているわけですが、だからこそ「原点に帰る」ことを意識しておかなければならないと思います。

第二部　人類を救う哲学

第一章 文明の崩壊が始まった

高度な文明がなぜ消えてしまったのか　稲盛

現在の人間社会はいずれ破滅するのではないかと、一部の有識者の方々が唱え始めています。私は企業人であり、文明論的なことについてあまり知識はありませんが、先日、梅原先生とご一緒にエジプトの古代遺跡を訪問して、いろいろ考えさせられることがありました。

いまから五千年前から三千年も栄えた古代エジプト文明の遺跡を見るのは、私にとってたいへん貴重な経験でしたが、最初に疑問に思ったことは、これほどまでに栄えた古代エジプト文明がなぜ消えてしまったのかということです。

現在エジプトで生きている方々でさえ、「ピラミッドほど巨大なものをつくったのは、われわれの先祖ではないはずだ。宇宙人のような、まったく別の者ではないか」といっておられたのが印象的でした。

たしかに、過去に栄えた文明と現在のエジプトとの間には、たいへんな違いがあります。南米のアンデス文明にしても、それをつくった先住民はこつぜんと消え、遺跡だけが残っています。高度な文明を築き上げた民族が衰退し、現在文明の進歩が停滞したかの様相を呈している。そこから現代文明の行方について、身震いするような不安を感じました。

また今後、地球全体でどれだけの人口を養えるのかを考えたとき、爆発的に増える人口を養うに足るエネルギーや食料は、地球の許容限度を超えつつあるという気がします。いつか地球規模の文明の崩壊が始まるかもしれません。

このような問題には、必ず大きな臨界点が存在します。ある時点までは静かに変化していますが、臨界点を過ぎたら急激に問題が噴出するというものです。だからこそ、いま、ほんとうに人類のあり方を真剣に考えなければならないのではないでしょうか。

近い将来、人類は滅びる？　梅原

農耕文明の誕生は約一万五千年前です。それ以来続いてきた人類の文明が、あと五百年で滅びるという識者がいます。とはいえ、五百年後には誰も生きていないから、そのころの地球のことを考え、現在の自らの生活を変えるのは難しいのです。一般論としては、地球環境が大事といいながら、自分の生活は変えたくないから、抜本的な策を出さない国が多いのが現状です。

たとえば、地球温暖化の原因といわれている二酸化炭素の排出量についていえば、日本のそれは京都議定書の締結時より増えています（一九九七年に議決、二〇〇五年に発効）。増えた分は、発展途上国から排出枠を買うことで目標値をクリアさせようとしていますが、これは卑しい話です。やはり定められた枠を守るべきで、よその国から買うのは間違いです。

稲盛さんがおっしゃるように、人類の生存という視点で考えれば、いま根本的な対策を打たないと、ある限界を超えたとき一挙に文明が崩壊します。それが百年先か五百年先かわかりませんが、近い将来であることは間違いありません。

石油が枯渇すれば都会は廃墟となる　稲盛

私は五百年といった悠長な話ではないと考えています。いまから五十年後、二〇六〇年ごろには地球人口が八〇億人に達するともいわれています。そうなると、消費する食料もエネルギーもたいへんな量になります。そこに行くまでに、食料もエネルギーも足りなくなるでしょうから、それによって大きな問題が起こることも考えられます。

現在の文明は、十八世紀から十九世紀にかけてイギリスで蒸気機関等が発明され、産業革命が起こることによって始まったものです。以来、科学技術は進歩・発展を続け、大量のエネルギーを消費しつつ、物質文明をつくりあげてきました。ニューヨークには摩天楼がそびえ、それを真似て日本はもちろんのこと、最近では中国の上海や北京、その他の世界の主要な都市も摩天楼を林立させています。また、その電波塔から発信される電波で、人間は携帯電話を使って世界中どこからでも話ができるようにもなっています。

この文明は、主に石油をエネルギー源として成り立っています。ところが、石油の埋蔵量は、あと五十年ぐらいが限界だともいわれているのです。仮に新たに油田が発見されたとしても、あと百年はもたないでしょう。それまでに原子力や自然エネルギーを含めた代替的なエネルギー源が定着すれば安心でしょうが、それも簡単ではありません。

エネルギーが枯渇すれば、自動車は走れなくなりますし、摩天楼もエレベーターや冷暖房が全部止まり、使えなくなります。通信網も同様です。さらには水不足も起こって、摩天楼のそびえ立つ大都会は、おそらく廃墟と化します。いまから百年のちに生き残った人々は、「ここに二十世紀から二十一世紀にかけて大発展を遂げた文明があった」との説明を受け、遺跡となった摩天楼を見上げることになりかねません。

いまこそわれわれは、「人類に明日はあるのか」という観点から、環境や資源、そして核兵器、民族紛争、宗教戦争といった問題を解決する方法を真剣に検討しなければならないと思うのです。

エジプト文明が三千年続いた理由　梅原

人類が危機から脱出するには、現代文明を根本から変えていかなければなりません。それには近代文明を批判するだけではダメで、「人類とは何か」「人類はどんな文明をつくってきたか」といった根本原理に遡る必要があると思います。

古代エジプト文明は三千年にわたり、古王国、中王国、新王国と盛衰を繰り返しつつも繁栄を続けてきました。アレクサンダー大王に蹂躙されても何とか生き延びましたが、ローマに征服されてついに滅んだのです（紀元前三一年）。

この文明はすばらしい高度な社会を築き上げました。ギリシャ文明が繁栄したのは四百年ぐらいですから、それよりはるかに古く、長く続いていた。

では、なぜ古代エジプト文明は長く続いたか。その正体を今後私なりに解き明かしていきたいのですが、自然崇拝、とくに太陽崇拝に重要なヒントが隠されているのではないかと考えています。この太陽崇拝は、かろうじてギリシャ文明ではアポロンの神の崇拝というかたちで残ったものの、キリスト教やイスラム教の普及で失われ、近代文明に至っては完全に人間中心になります。これをもう一度、「自然に帰れ」「太陽に帰れ」と訴える必要があると思います。

つまり、人類を救う新しい哲学を考えたとき、まず提案したいのが「太陽崇拝の思想」の復活です。

自然に対する畏敬の念を忘れた人類　稲盛

たしかに、エジプト文明をはじめ、古代の人類はみな太陽信仰みたいなものを持っていた。それはとりもなおさず自然に対する畏敬の念であり、人類は自然の恩恵があって初めて生きていけるという明確な思想を持っていた。

ところが近代になって、人間はあふれるような好奇心をもとに英知を活かし、科学技術を進歩させてきました。その近代文明の発展は、自然でなく人間主体で、自然とは人間がその英知のままに、思いのままに利用するものと捉えられてきました。そのために自然を破壊し、変えていくのも厭わない。そうやって高度な科学技術に支えられた近代文明をつくりあげてきたのです。

人類にとってすばらしく住みやすい社会をつくり、やがては人類のユートピアができるのではないかと思えるほど、科学技術を進展させていきました。マクロでは宇宙空間まで飛び出せるようになり、ミクロではナノの世界に足を踏み入れ、あるいは生物のＤＮＡまで操作できるようになった。

ところがその結果、「われわれはどんなこともできる」「科学技術を次から次へと発展させていけば、できないものはない」といった、人類の傲慢さを生むことになりました。

たしかに人類は立派な科学技術を育んできましたが、それが傲慢を生み、いま人類の暴走はますます加速度が増している。古代に帰れとはいいませんが、やはり太陽の恵みに感謝し、太陽というものに敬虔な信仰心を持っていた古代エジプト人たちのような思想に回帰する。つまり、傲慢になった人類が、あらためて自然に対し、畏敬の念を持って接する。そういう哲学に立ち返る必要があるように思います。

太陽崇拝こそ人類の文明の原点である　梅原

私が太陽崇拝の重要性を考えだしたきっかけは、稲盛さんご夫妻たちと一緒にエジプトへ旅をしたことです。この旅行はエジプト考古学者の吉村作治さんの案内で行ったものですが、じつをいうと最初はあまり気が進みませんでした。前年、春には前立腺癌の放射線治療を行い、秋には蓄膿症の手術をしたので、体力的に少し弱っていたからです。

ところが、惑星科学者の松井孝典さんが、「ぜひ行ったほうがいい。エジプト行きは、梅原さんの哲学にたいへん有益な刺激を与えるはずだから」というのです。私もそう思いましたし、稲盛さんも参加すると聞きまして、「これは行かねばならない」と参加することにしたのです。

実際、松井さんの予言どおり、私にとってじつに収穫豊かな旅となりました。その成果を吉村さんとの対話のかたちでまとめたのが、『「太陽の哲学」を求めて』です。

もっとも、往きはかなりヨタヨタしていたんです。乗り継ぎのドバイ空港では、車椅子に乗せられて移動していました。ところが、帰りは、スタスタと先頭に立って歩けるようになった(笑)。皆さんも驚かれたようですが、私も驚いた(笑)。

それはなぜか。一つには、砂漠のなかを歩くことがリハビリになった点がありますが、もう一つは、エジプトのラーという太陽神の霊感というかエネルギーを体全体に受け、元気になったと思うのです。

そこで、私がエジプトの旅で感じたことを、少し長くなりますが、お話ししましょう。

一般に西洋文明は、ギリシャの哲学とイスラエルの宗教から始まったといわれます。それ以前にエジプト文明があるのですが、これは未開の文化で、ほんとうに合理的な文化は、ギリシャとイスラエルで発達したというのが西洋の多くの知識人に共通する見解です。ところが、実際にエジプトを訪ねてみて、「それは違うのではないか」と思ったのです。

ギリシャ・イスラエル文明の前に、約三千年にわたるエジプト文明がある。そのエジプト文明は、神秘的であると同時に、神について非常に思弁的な思考を発展させてきた。ある意味、すばらしい哲学が、そこにあると気づいたのです。

その哲学の中心にいるのは、太陽神ラーです。この神様が面白いのは、必ず毎日死ぬのです。日の出とともに生まれ、日没とともに死ぬ。それを受け止めるのが蓮の花で、蓮の花は朝日とともに蕾が開き、夕べになると閉じます。開くときに太陽を生み出し、閉じるときに太陽を吸収する。いわば蓮の花を、太陽を生み出す母体のようなものと考えていたのです。

エジプト文明が太陽神を崇拝するのは当然で、小麦農業にいちばん必要なのは太陽と水です。水はナイルの水で、これを支配するのは女神イシスです。ラーとイシスがエジプトの神の中心で、これは農業にいちばん必要なのが太陽で、次が水だからでしょう。

同じことは、稲作農業にもいえます。やはりいちばん必要なのは太陽で、次が水です。太陽の強い光があり、十分な水があれば、小麦農業も稲作農業も栄える。農業文明に共通の神様は、太陽神であり、水の神だと思うのです。同じことは、中南米のトウモロコシ農業にもいえるでしょう。

ひるがえって日本を考えると、『古事記』や『日本書紀』の中心となる神様は、天照大神です。天照大神も太陽の神で、しかも天の岩戸の伝説があるように、一度死んで、また復活します。

日本のもっとも古い原始信仰として、二見浦の太陽を拝むことがあります。二見浦は三重県伊勢市にありますが、お正月にわざわざそこまで行って、太陽を拝む。そんな信仰が、いまも非常に盛んです。その二見浦の近くに伊勢神宮がつくられたのは、偶然ではないと思います。やはり日本の神道の中心は、太陽信仰なのです。

日本では密教が盛んになりましたが、密教の本尊は大日如来で、これも太陽を神格化したものです。そして次に崇拝されたのは水を司る十一面観音です。十一面観音は左手に水瓶を持っています。

ところが、ギリシャやイスラエルで新たに文明が生まれるにあたって、太陽神がいなくなってしまった。これは吉村さんとの対談で知ったのですが、イスラエルの人たちはエジプトで奴隷のように使われていて、農民ではありませんでした。その後、モーセに率いられてエジプトを出て流浪の民となりますが、このときも牧畜はするものの、純然たる農耕民族にはならないのです。

そんな農業を生活の中心としない民族が、エジプト文明の影響を受けながら、新しい宗教をつくった。それがヤハウェの神を唯一神とする、イスラエルの人たちの宗教なのです。

一方、ギリシャの人たちも、戦闘民族あるいは貿易民族で、農耕民族ではありません。ですから、プラトンやアリストテレスの本を読んでも、農業の話はほとんど出てきません。ギリシャ神話に登場するアポロンは太陽神ですが、やがて予言の神になり、哲学の神になっていきます。太陽崇拝を忘れ、平たくいうと自然を忘れるようになるのです。そして人間中心の文明をつくっていった。

その結果、近代文明はどんどん自然への崇拝を忘れてしまいました。世界の中心に人間がいて、人間が自然を支配する。自然は自然科学的法則によってすべて解明できるから、その法則を研究することで、自然を奴隷のごとく支配できる。そのような考えのもと、自然を奴隷のように支配してきた。それが産業革命以降、この四百年ぐらいの人類の歴史です。

太陽のありがたさを忘れて、自然を忘却した。そこから生まれたのが近代哲学で、これを自然中心の哲学に戻さなければならない。そして太陽の恩恵を、はっきり認識する。人間は毎日寝なければならないというのは、ある意味、人間も太陽と同様、毎日生死を繰り返しているといえます。そうした認識に戻る必要があると思ったのです。

傲慢になった人間は必ず滅びる　稲盛

仏陀のいう「足るを知る」の思想で考えると、現代文明は、もうここから先へ進まなくても十分という気がします。「いや、まだまだ足りていない。もっと豊かな生活がほしい」という人もいるでしょうが、そういう人には「もっと謙虚になりましょう」といいたい。

謙虚さを失った文明は、歴史上すべて滅亡してしまいました。それはひとりの人間も同様です。「謙のみ福を受く」と古来中国でいわれるように、どんな立派な功績をあげた君主や武将、そして実業家も、謙虚さを失い傲慢になった人は滅びています。

そしていま、人類は共通して傲慢になっている。あらためて謙虚な気持ちになって、自然に対して畏敬の念を持つことが大事です。また、そのような考え方に立脚した、新しい人類共通の哲学を確立する必要があります。とくに梅原先生には、ぜひそういう考えに基づき、二十一世紀の人類を救う新しい哲学をつくっていただきたい。さらには、世界のリーダーの方々に集まっていただき、その英知を集めて、人類の進路を検討することも考えてほしいと思います。

日本の思想の中心も「太陽」だった　梅原

近代文明は人間中心で、人間が世界の中心にいると考えます。フランスの哲学者ルネ・デカルトの「われ思う、ゆえにわれあり」は、まさにそうです。こういう哲学が間違っていることを、ずっと以前から言い続けてきました。

日本古来の考え方に、「草木国土悉皆成仏」という思想があります。人間ばかりか、草も木も、さらには鉱物や無機物も、みな仏性を持っていて、仏になれる。じつは、これは日本で生まれた考え方です。

本来、仏教では、動物までが「生あるもの」で、仏性があり、仏になれるとしています。植物や無機物までが、仏になれるという考え方はありません。「草木国土悉皆成仏」は、平安時代末期に生まれた『天台本覚論』の思想で、この思想が鎌倉仏教の共通の源になりました。

だから、浄土宗も禅宗も日蓮宗も、その背後に「草木国土悉皆成仏」という考え方がある。ただ仏になる方法は違って、禅宗や日蓮宗は「この世で仏になれる」と考えます。そして禅宗の場合、座禅によって仏になる。日蓮宗の場合、「南無妙法蓮華経」と題目を唱えることで仏になる。

一方、浄土宗と浄土真宗は「この世で仏になるのは無理で、あの世で往生できる」と考える。往生とは、仏になる第一歩です。そうした違いはありますが、「草木国土悉皆成仏」という思想を共通に持っています。

この考え方は非常に日本的で、日本には縄文時代以来、自然を神と見る思想があります。それが仏教のなかに入り、日本独自の仏教をつくったのです。

これはたいへんよい思想で、こういう思想に基づき、人間中心の哲学を批判したかったのですが、これまでは「何かが足らない」と思っていました。それが今回エジプトへ行き、自然の中心に太陽がいることを発見したのです。

日本の思想においても、神道の最高神は天照大神、仏教の最高仏が大日如来で、いずれも中心は太陽です。ところが、ギリシャやイスラエルではそういう哲学が薄まり、近代哲学ではますます薄くなって、自然は人間に支配されるもの、奴隷として人間に仕えるべきものとなった。

近代西洋の生み出した科学技術文明は、たしかに人間を豊かにしました。しかし反面、自然を破壊してきたため、温暖化をはじめ、さまざまな問題が露呈しています。ある意味、人間の傲慢の産物の思想が、一時は人類を大いに栄えさせたけれども、長い目で見れば、その栄えこそが人類の滅びをもたらそうとしているのです。

『平家物語』では、平家が大いに栄えた様を、「平家にあらざれば人にあらず」といいましたが、それからわずか三十年で滅びたように、人類も「文明人にあらざれば人にあらず」といっているうちに、やがて滅びていくのではないか。そんな不安を強く感じます。

ただ、私のような哲学者がそれをいうならともかく、稲盛さんのように実業に携わり、経営者として日本のトップにある人が感じている。これはたいへん希有なことだと思います。

ところで、稲盛さんは、いち早く太陽光に注目され、日本の産業界では珍しく、先駆的に太陽光発電の研究を行い、製品をつくってこられました。ここでは哲学的な話を論じていますが、私は技術的にも、太陽光をエネルギーの基本にする必要があると思っています。

工業文明というのは、化石燃料を使って発展したものです。化石燃料は太古の動植物で、それは太陽のおかげで生まれたものです。電気が発明された現在でも、先進国では火力発電が中心で、やはり化石燃料に頼っています。原子力発電が火力発電に代わればよいという期待がありましたが、原子力発電には危険が多いことがわかった。そして次に太陽光エネルギー革命が起こり、これが人類を救済することになるのではないかと思っています。その意味で、京セラさんの先見の明を痛感しています。

そこで、稲盛さんが太陽光の研究を始められたのは、いつごろからで、動機は何だったのでしょう。

第一次オイルショックをきっかけに始めた太陽光発電　稲盛

第一次オイルショック（一九七三年）がきっかけです。世界のエネルギーが枯渇するといわれるなか、世界中から「代替可能なソフトなエネルギーを開発すべきだ」という声があがりました。まず太陽光発電がいわれ、ほかに風力発電や海洋温度差発電など、いろいろな技術の可能性が取り沙汰されました。このとき、太陽電池なら、京セラの技術でつくれると思ったのです。

そこで、松下電器（現・パナソニック）さんやシャープさんの当時のトップに、「合弁会社をつくって、共同で研究開発をしませんか」と声をかけましたら、二社ともすぐに賛同してくださったので、共同出資で会社をつくったのですが、なかなかうまくいかない。そのうちオイルショックも遠ざかり、石油も潤沢に出回るようになったので、みな熱が引いてしまった。松下さんやシャープさんも手を引かれるとのことでしたが、私はせっかく始めたのだからと、京セラだけで研究を続けたのです。

非常にカネのかかる研究でしたが（笑）、研究を開始して三十年くらい経ってようやく、世界が太陽光発電に目を向けるようになりました。すばらしい大義名分のある研究開発、事業だと、世界中の皆さんから喜んでいただき、ビジネスとしてもやっと成立するようになりました。

いまでは儲かりそうだということで、世界中で多くの企業が太陽電池の製造を始めるようになり、乱立気味になっているほどです。

長年苦労を重ねてきた私たちからすれば、虫がよすぎるように思いますが、これもある意味、「地球にやさしい自然エネルギー」というものに世界が目覚め、それによって地球環境を守っていこうと、さらに積極的に取り組み始める契機となるなら、喜ぶべきことだと思います。

地球環境に大きな負荷を与えている自動車メーカーもいま、大きな転換点に立っています。トヨタさんでも、環境対応車であるハイブリッドカーをつくる愛知県の工場の屋根に、私どもの太陽電池を敷き詰め、その組み立て工場で使用する電力の半分くらいを、太陽光発電で賄うことになりました。環境対応の工場で環境対応のクルマをつくる時代をすでに迎えているのです。

自然界には不思議なことがたくさんある　梅原

私の父はトヨタの技術の基礎をつくった技術者ですが、三十年ほど前に「親子対談」をやったことがあります。このとき父は、「これからのエネルギーは太陽光だ」といっていました。父がそんなことをいうのに驚き、非常に印象に残っています。

もっとも、当時のトヨタはあまり太陽光発電に熱心でなく、関心を持ちだしたのは最近のようです。トヨタのような大企業が取り組むのは、非常にけっこうなことだと思います。

太陽光発電は、たんなるエネルギーの話でなく、その背後に「もう一度、太陽の恩恵に帰れ」という思想が必然的に含まれます。そこが大事なのです。

じつは昔、核融合の研究をしている友人と親しくなったことがあります。当時の私は不遇で、その人も不遇でしたが、意気だけは盛んで、俺たちは日本の新しい学問をつくっていくのだと意気込んで、α会というものをつくっていました。そこで友人は熱っぽく核融合の話をし、「これが成功すれば、エネルギー問題は全部解決できる」といい、「あと十年で核融合は完成する」といっていました。友人は日本の核融合研究の中心人物となりましたが、残念ながらいまだに完成していません（笑）。

核融合は、「太陽を自らつくる」という考え方です。これは「太陽の恩恵を受ける」という考え方とは、根本的に違う気がします。太陽というのはほんとうにすばらしいもので、農業文明が発展したのも、まったくもって太陽のおかげです。ここでもう一度、「太陽のおかげである」という発想に立ち返り、そのような考えと技術論をタイアップさせた哲学をつくらなければならない。おそらく稲盛さんのなかにも、そのような哲学が必要だという気持ちがどこかにあり、だからこそ他の企業が撤退するなか、一人で頑張ってこられたのではないでしょうか。

また、ギリシャ悲劇というのは、人間が傲慢ゆえに滅びていく姿を描いたものです。『平家物語』もやはり、そういう思想で書かれています。私の書いたスーパー歌舞伎『ヤマトタケル』のなかに、「とうとうヤマトタケルも傲慢という人間を滅ぼすもっとも重い病にかかったか」というセリフがあります。結局のところ、古今東西を問わず、人間を滅ぼすのは傲慢なのです。

いまや人間の知恵が進み、人工的に人間の生命をつくりだす技術が開発されつつありますが、私はこれをたいへん危険なことだと思います。そのような技術が進む一方、人間にはわからないことが、まだまだたくさんあるからです。

私の家の庭ではモリアオガエルが毎年、卵を産みます。モリアオガエルというのは、木の上にフワフワした泡のような卵を産みつけます。その木の真下には必ず水があって、孵化したオタマジャクシは真下の水たまりに落ちていく。卵を産む位置は非常に正確で、ちょっとでも水たまりがあると、必ず真上の木に産みつけます。なぜ、あのように正確な測量ができるのか、不思議でなりません。

ウナギにしても、産卵は必ずグアム沖で行います。日本からグアム沖まで行き、その後、また日本に帰ってくるのです。たいへんな長旅なわけですが、なぜそんな旅をしなければならないのか。そんな不思議なことが、自然界にはいっぱいあります。わからないことがいくらでもあるのに、中途半端な生物学の知恵で新しく人間をつくりだそうというのです。

生物学はＤＮＡという存在を見つけ出しましたが、そのＤＮＡは、じつは人間とチンパンジーでほとんど違いがありません。人間も自然界の一員で、すべての生物はＤＮＡにさほどの違いがない。いちばん賢い人間とアホな人間もほとんど同じで、ある意味でＤＮＡは、そうした「生物の平等性」を教えています。

それなのに人類は、そのＤＮＡを利用して、お金儲けに使おうとしている。生物学が教えてくれた、人間の傲慢さに対する反省を無視しているのです。これはたいへん悲しいことです。

「国益」を守ることが傲慢さを助長している　稲盛

地球に住むあらゆる生物は、太陽の恩恵を受けて生きています。太陽の恩恵によって地球という生命圏ができ、そこを舞台に生物は次々と発展を続けてきました。太陽を含めた自然の偉大さに、敬虔な気持ちを持つのは当然のことです。そのため、古代エジプト人たちは、太陽を神として崇めていたのでしょう。

われわれ現代人もこの自然の偉大な力に対し、敬虔な気持ちを持たなければなりません。それが人間の傲慢さに、少しはブレーキをかけることになります。

人間の傲慢さが自然環境を破壊し、地球温暖化に象徴される、現在の環境危機をもたらしています。地球が危機的状況にあることは、二〇〇八年の洞爺湖サミットに参加したG8の首脳たちも、みな認識しています。しかし誰も、「自分たちが率先して、環境改善のために犠牲を払おう」とはいいません。危機を認識はしつつも、具体的な策については、先送りをして終わってしまった。

私は、「国家」という存在自体が、人類の傲慢さをもたらしているようにも思うのです。国家は、小さい国も大きい国も、先進国も途上国も、みな「国益」を守ろうとします。その国益とは、いってみれば「国のエゴ」です。自国が得をしようとするために、傲慢に陥ってしまうのです。

それぞれの国家が国益を主張すれば、当然、衝突が生まれます。国際紛争にしても、ごくごくわずかな領土の帰属問題から始まるケースがたくさんあります。最初は小さな火種だったものが、やがて大きくなり、核の拡散が進んでいる現在、核戦争のような事態を誘発するかもしれない。このような悲劇を防ぐ意味でも、われわれは謙虚な気持ちになる必要があります。

この小さな地球のなかで、自分の国の利益だけを主張していたのでは、人類は生き残れません。「利他の心」を持って、人類全体の益を考え、みんなが平和に、繁栄を持続できる、いい隣人関係を、国際社会にもつくりあげていかなければなりません。

自然界では、動物も植物も、この狭い地球上で、みなそのようにして共生しています。それなのに、人間だけが国家をつくり、国境を決め、国益を主張し、個々の損得感情だけで生きている。自然界を見習って、人間は謙虚さを取り戻す必要があります。いま、あらためて自然の恵みに感謝し、われわれ人類はそのなかで「生きている」のでなく、「生かされている」ことに気づき、謙虚で敬虔な気持ちになるべき時期にきています。

「進歩史観」が人間を欲望の奴隷にした　梅原

近代文明に対する私の不信感は、学生時代に生じていました。大学生のころ、私はドイツの哲学者であるフリードリヒ・ニーチェの著作を愛読していましたが、彼は「人類はルネッサンス以来、大きな無の中へ突っ込んでいる」と述べていました。「ルネッサンス以来」とは、科学技術が発展した時代のことで、当時は西洋にとっても世界にとっても「光の時代」と思われていた。それをニーチェはまったく逆の予言をしたのです。十九世紀半ばのことですから、たいへんな主張といえます。そんな哲学を学んだ私にも同じような予感がどこかにあり、卒業論文にも「進歩思想はいずれ行き詰まるのではないか」という問題提起をしたものです。

当時、世の中では「進歩史観」が流行していました。進歩史観には二つの類型がありました。一つは「人間社会が進歩すれば資本主義は崩壊して、社会主義になる」というものです。とくにインテリゲンチャに大流行しましたが、私はどこかに大きな間違いがあると直感していました。「いまに社会主義は崩壊する」と、批判的な論説を述べていたら、私の考えていたよりも早く、ソ連を中心とした社会主義の国々は崩壊し、この進歩史観が間違っていたことが証明されたのです。

もう一つの類型は「資本主義が発展すれば、豊かで便利な夢のような国ができる」という思想で、これもまた戦後日本で一時流行りました。とくに社会主義が崩壊したとき、「これで資本主義を謳歌する考え方が正しいことが実証された」と唱える思想家もいたほどです。しかし、私はそれも間違いで、資本主義もやがて崩壊すると論じていました。

また、戦後日本では、「科学技術の進歩によって、ものすごく幸せな世界がくる」という考えも、強く信じられてきました。それがもっとも具体的に現れたのが、田中角栄・元首相の「日本列島改造論」ですが、この考えも約十年ほど前から怪しくなってきました。資本主義や自由主義を進めた挙げ句、環境破壊や核兵器の拡散問題など、やっかいな問題が続出してきたからです。

約二十年前までは、ほんの一部の人しか気づいていませんでしたが、現在では日本人の多くが、心のどこかで「いまの文明のあり方に問題はないか」と危惧を抱くようになっています。とはいえ大半は、「そうはいっても何とか解決できるだろう」と楽観視しています。そこには「豊かで便利な現在の生活を手放したくない」という思いが強くあるのでしょう。人間が欲望の奴隷になり、人間性自体を失っている証左ともいえます。

そうしたなか、稲盛さんは、現代文明について深い危惧を持っていらっしゃる。日本の経営者でそうした危惧を持っている方は、非常に稀だと思います。稲盛さんの場合、いつごろから不安を感じられるようになったのでしょうか。

もはや経済成長は不要ではないか　稲盛

十年ぐらい前からですが、年々強く感じるようになってきています。いま梅原先生がおっしゃったように、われわれ人類は「もっと豊かな生活を」「さらに便利な社会を」という欲望を原動力に、科学技術を発展させてきました。そうして便利で豊かな近代文明をつくりあげ、それをみな「善である」と考えてきたのです。

そもそも人間は、近代文明を形づくる前から、欲望を満たすために自然からの収奪を行ってきています。「豊かな生活をするためには、自然を利用すればいいのだ」と、あくなき欲望で、徐々に自然を破壊してきたのです。その延長線で近代科学を育み、高度な物質文明をつくりあげていった。

ところが、気がつくと、自然破壊は目を覆うばかりになっています。地球最大規模の南米のアマゾン流域の熱帯雨林でも、年々伐採が拡大しています。「人類の遺産として残さなければならない」と先進諸国の人たちが警告しても、ブラジルのアマゾンの住民たちはなかなか聞く耳を持とうとしません。しかしわれわれも、彼らから「これまであなたたちは森林を切り倒し、農業用地や牧畜の草原にしてきた。あなたたちより遅れて発展の果実を得ようとするわれわれが、なぜ同じことをやってはいけないのか」と問われれば、答えに窮してしまいます。

一方で、日本を含めて先進諸国でも、政治家や経済人は、いまだ経済成長こそが善であり、経済発展を通じてより豊かな生活を求めることが正しい政策だと考えています。そのためにＧＤＰは、少なくとも年率三、四パーセントは成長しなければならず、いま大発展を遂げている中国など先進国入りを目前にした国家では、さらに年率一〇パーセント前後の経済成長が必要だと主張します。負けず劣らずその他アジア、中南米、アフリカの発展途上の国々も、やはり急速な経済成長が不可欠だと考えています。

いまや経済成長そのものが目的化するとともに、その経済成長を支えていた経済システム自体がおかしくなってきています。これまでは主に実物経済によって富の蓄積がなされてきましたが、いまではそれは過去の遺物となりつつあり、高度な数学を駆使した金融経済が大手を振って歩いている。たとえば、従来負債として扱われていたものが、証券化され市場で取引されれば、金融資産にもなる。とくにアメリカの経済界は、そのような金融技術だけで金儲けのできる仕組みをつくろうとしてきました。ところが、ここへきて、「サブプライム・ローン問題」に象徴されるように、そのような金融経済のあり方に疑問符がつけられるようになっています。

また昨今、産業界では新しい技術が次から次へと生まれています。とくにバイオテクノロジー技術の発展は目を見張るものがあり、これが食糧増産などよい方向に使われれば、人類の生存に活かせるかもしれません。しかし、倫理にもとる遺伝子操作などに間違って使われれば、人類の滅亡につながりかねません。それは核の技術も同じで、すべては使い方によって、人類を繁栄に導きもすれば破滅にも導きます。

梅原先生がおっしゃるように、人類の活動のあらゆる分野において、「進歩」と称されていたことの負の要素が大きく目立つようになってきたように思います。そんな様子を見ていると、人類全体が奈落の底へ落ちていくような絶望感さえ覚えます。

じつは経済人の一部には、「もはや経済成長は不要」と思っている人もいます。しかし、それを述べることは一種のタブーになっています。変人扱いされ、財界から追放される危険もある。そこで誰もが「成長が大事」というのです。

私のように、企業経営者で「もはや経済成長は不要」という発言をする者は異端かもしれません。ただ、仏教を中心とした東洋思想を少し勉強した立場で考えると、いまの社会を見て、まず思い浮かぶのが、仏陀の説いた「足るを知る」という言葉です。

とくに先進国には、「もう十分に満ち足りているではないか」と、自国の成長よりも、後に続く発展途上国の成長を促すような経済政策がいま望まれているはずです。そのときに必要なのが、この「知足」の考え方なのです。

最近は、少し希望が持てる状況が生まれてきました。「足るを知る」という考え方からもっとも遠い位置にあると思われる、アメリカの政治家のなかにも、ゴア元副大統領のように、地球温暖化に関して警鐘を鳴らす人が出てきたのです。ゴア氏の『不都合な真実』は世界中にセンセーションを巻き起こしました。私が今回、梅原先生との対談で願うのも、わずかでも世に警鐘を鳴らすことなのです。

「欲望の無限解放」が近代文明の本質　梅原

「経済成長を止めても、人類の末永い発展を考えるべきだ」という主張は、まさにいまの世の中では禁句です。そうしたなか、実業界の第一線におられる稲盛さんがいわれるのはたいへん勇気のいることです。しかも、現実の経済社会のなかに身を置いていらっしゃるのですから、訴える力があります。

文明の問題については、不滅の大帝国といわれたローマ帝国でさえ四百年足らずで滅びています。現在は「ドッグイヤー」と呼ばれるなど、百年前の七倍のスピードで社会が変化するといわれている時代です。そう考えると、近代文明が生まれて三百年。いつ滅びてもおかしくありません。

近代文明が特殊なのは、それが全世界に広がっていることです。いままでは、古代エジプト文明が滅びたらギリシャ文明、ギリシャ文明が滅びたらローマ文明、それが滅びたら西欧文明やイスラム文明といった具合に、新しい文明が次々に台頭してきました。ところが、現在の文明は地球全体に広がっていますから、すべての人類の生存に関わってくるのです。

近代人は、科学技術を発見しました。これはすばらしいことで、それまでも「科学」という考え方はありましたが、「技術」という発想はなかった。その原理は何かというと、「自然征服」です。これを考えだしたのはデカルトで、デカルトは「われ思う、ゆえにわれあり」と唱えました。これは「われ」が絶対であり、自然は「われ」の前の対象物として存在するということです。そして自然は数学的物理的法則に従ってつくられているので、その法則を客観的に認識することによって科学が生まれた。これが近代西洋が生み出した科学技術文明です。

「自然を支配するのが人類の最大の幸福」という価値観が生まれ、近代文明はそれを見事に実現しました。自然は奴隷であり、奴隷を働かせれば働かせるほど、富を生むことができる。そうした考えのもとに社会システムをつくり、繁栄してきたのです。

そして、近代文明を取り入れていなかったアジアやアフリカの国々の多くは、近代文明の生みの親であるヨーロッパ諸国の植民地になりました。科学技術は、経済力とともに軍事力の根源だったからです。

一方、明治の日本はいち早くヨーロッパ流の科学技術を取り入れ、見事に成功しました。そして日本人もまた、自然を征服すればするほど豊かになれると考えるようになっていった。アメリカや日本は、このような自然科学信仰をヨーロッパ諸国より取り入れて国を発展させ、ヨーロッパ諸国以上に豊かな国をつくった。この信仰がいちばん強いのがアメリカ、次に強いのが日本といえるのではないでしょうか。

また、自然を支配するのは人間の「理性」であるとデカルトはいいましたが、私は稲盛さんがおっしゃるように、「欲望」によって支配しているように思います。表面は理性といいながら、その裏側には欲望が存在しているのです。「欲望の無限解放」こそが近代文明の本質だといえましょう。

現代人とは、いわば「欲望人」です。「欲望人」というと原始人をイメージしがちですが、むしろ原始人のほうが自然に対して、きちんとした自制心を持っていました。そう考えると、環境問題とは人間が「欲望人」になりながら、それを反省しないことから起こったものともいえます。現代は外からの自然破壊と同時に、内からの「人間破壊」が起こっているのではないでしょうか。

第二章

アメリカ文明は正しいのか

アメリカによる「押しつけの善」　稲盛

第二部第一章では、人類文明の危機的状況について言及し、その主因たる近代文明の問題点を梅原先生と議論させていただきました。この章では、それを受けて近代文明の「寵児」ともいえるアメリカについて、掘り下げて考えていきたいと思います。

私が初めてアメリカについて意識したのは、敗戦後、進駐軍によって、アメリカの価値観や文化が大量に日本にもたらされたときです。戦前・戦中と軍国少年であった私は、いわゆる国粋主義的な教育を受け、その価値観のもとで育ちました。そこへアメリカの「自由」と「民主主義」という新しい価値観が入ってきた。それに衝撃を受けると同時に、「なんとすばらしい価値観、システムか！」と手放しで喜びました。

それから六十年以上が過ぎ、私のアメリカに対する見方は、かなり変わってきました。現在のアメリカは、まぎれもなく超大国で世界のリーダーですが、その地位を利用して、「自由」と「民主主義」という価値観や社会システムを、世界中の国々にごり押ししようとしているように見えます。そして逆らう国に対しては、ときに軍事力も交えた制裁を行う。それが、彼らの政治体制の「間違い」を理解させ、改革させることであり、善であると考えている。いわば、「押しつけの善」ともいえる価値観で動いているのです。

いまアメリカでは、そのような独善的な考え方が強くなりすぎている気がします。従来はもっと自由で、「右から左まで」多様な意見が存在する、寛容な社会でした。また、健全な理想主義が息づいている社会でした。それが「国家」という意識が先鋭的に固まってしまい、「国益」という視点ばかりが重視される社会になっているのではないでしょうか。

そして、アメリカの国益を損なう勢力に対しては、経済、軍事、外交面であらゆる力を傾注してでも排除しようとする。このことが世界をたいへんな不安と混乱に陥れているように思います。その典型が中近東の現状であり、南米の発展途上国の現状です。

なぜ、このように私が考え始めたか。それは、ヨーロッパの先進諸国で、一時期、グローバリズムに反対する動きが起こったことがきっかけでした。国際会議が行われるたびに、デモが繰り広げられていた。最初は、何に対して彼らが抗議をしているのかわかりませんでした。ところが、やがて、「民族や文化の違う人たちに、アメリカの価値観が押しつけられようとしている」ことに反対しているとわかった。彼らは、それこそがグローバリズムの負の側面である、と訴えていたのです。それを聞いて、目を開かれる思いがしました。

私はそれまで、アメリカとはたいへんすばらしい国で、「世界のために善を行っている」と信じていました。その考えに少し疑問を抱くようになったのです。私が変質したのか、アメリカが変質したのか、よくわかりません。ただ、世界が平和で、人類は仲よく助け合ってともに生きていくべきだという視点から見た場合、いまのアメリカのありようは、何かおかしいと感じています。

「自由」と「民主主義」はただの看板　梅原

私は稲盛さんよりも七つ歳上です。だから、敗戦を迎えた時期もズレていて、稲盛さんが中学一年だったのに対し、私は京都大学の一回生でした。京大の入学式を終えて愛知県知多郡の内海町（現・南和多町）にある家に帰ると、赤紙（召集令状）がきていました。戦時中、すでに青年期に入っており、そして終戦のときは熊本の田舎にいました。旧制高等学校の自由主義的思想に影響され、日本の軍国主義や戦争の動向に対して懐疑的だった。「この戦争のために、どれだけ多くの日本人が死なねばならないのか」「自分自身も、そのうち兵隊に取られ、死ぬのだ」といった思いを抱いて暮らしていました。

戦争が終わったとき、多くの日本人は日本の敗戦にショックを受けましたが、私はむしろ「これで命が助かった」という実感のほうが強かった。一方で、アメリカの押しつける民主主義に対しても、たいへん懐疑的でした。戦後しばらくは、基本的に政治には無関心を貫き、ニヒリズム（虚無主義）の姿勢で生きていたのです。

アメリカという国は、いわば近代ヨーロッパ思想の忠実な継承者です。近代を生み出したヨーロッパ人は、昨今すでにその基盤をなす思想に対し懐疑的になっています。その結果、環境問題などに熱心に取り組んでいる。ところが、アメリカ人の多くはいまだ、近代思想は絶対的に正しいと信じ続けている。ここに大きな問題があります。

第一章でも触れましたが、近代思想の特徴としては、第一に、科学についての信仰があります。自然を人間の奴隷のようにコントロールし、それによって人間生活を限りなく豊かにしようとする。これが、アメリカ人の価値観の根本を成しているといえるでしょう。アメリカが発祥の地であるプラグマティズム（実用主義）という思想も、結局は科学技術に対する楽観的信頼からきていると思います。

第二は、稲盛さんもおっしゃった「自由」と「民主主義」です。民主主義の思想のもと、選挙で選ばれた議員が国家を運営するのがいちばんよいと考える。

この二つの根本理念をどう捉えればよいか。私は、「科学と技術によって人間生活は限りなく豊かになる」という思想について、昔から懐疑的でした。歴史とは一方向に向かって直線的に発展するものではありません。そう考えたとき、「限りなく」というような一方向的な発展は、いずれ頓挫せざるを得ないと思ったのです。

当時、「進歩」や「革新」という言葉は、すべて善であると考えられていました。私はこれについても懐疑的で、だからソ連が崩壊したとき、一つの進歩主義の終わりであると理解しました。そして同時に、やがてもう一つの進歩主義に基づく文明、すなわち資本主義は無限に発展するとする確信の上に立つアメリカ的文明も崩壊するであろうと予言しました。その予言は多くの人を驚かし、共産党の人たちから、反動思想家である梅原もよいことをいうと誉められました（笑）。

さらに、第二の「自由」や「民主主義」についてですが、たしかにアメリカは表面上、自由・

民主主義が正しく、独裁・専制国家は悪であるといっています。しかし実際は、アメリカの国益を守ることこそがもっとも大事なのであって、そのために裏面では、アメリカの敵を潰すために、独裁・専制国家への支援をも行ってきた。まったくの「二重人格ぶり」を感じます。そして昨今、苦しくなればなるほど、民主主義の思想がただの看板で、実際には国家主義的な色彩が強い、ということを露呈させています。

私は二〇〇三年にイラク戦争が起きたとき、「この戦争はイラクのためではなくアメリカのためによくない」とコメントしました。ローマ帝国がなぜ滅亡したか。それはとてつもなく遠方へ兵隊を送ったからです。経済的負担が多大なうえ、兵隊たちの士気も上がりません。これこそがローマ帝国滅亡のきっかけです。そう考えると、アメリカも、地球の反対側のイラクへ兵隊を送るべきではない。いくら便利な世の中でも、宗教も風土もまったく異なる社会に兵隊を出すのは、たいへんなことです。結局はローマ帝国同様、イラク戦争が滅亡のきっかけになるのではないかと考えたのです。

だから私は当時、「九・一一テロはたしかにひどい話だが、いまはじっと耐えて、政策を見直すべきだ」「融和的な態度を取れば、アメリカは滅亡に向かわずに済むだろう」と発言しました。さらに「ブッシュ大統領によるイラク攻撃の背景に、石油を支配したいとか、湾岸戦争によって父ブッシュが再選を果たせなかったことへの恨みといった私的な動機があるなら、ますますこれは成功しない」ともいいました。私にしては珍しい政治的発言ですが、これは当たっていた気がします。

ですからアメリカはいま、たいへんなときを迎えていると思います。大統領はバラク・オバマ氏に決まりましたが、約二十年前に黒人の大統領が生まれるなど、世界中の誰が考えたでしょう。「このままではアメリカが衰退していく」というのが、アメリカ国民の世論という気がします。アメリカは、本格的な変革、路線変更が求められる時期にきているのです。これまでの「科学信仰」「自由と民主主義」「国家主義」をいかに考えるかという、非常に厳しい問いに迫られているのです。

倫理観なき金融工学がもたらす災い　稲盛

自国の国益を守ることに、アメリカがあまりに固執しているという例は他にもあります。典型が京都議定書をめぐる対応です。環境問題を解決するために、世界各国が二酸化炭素など地球温暖化ガスを減らしていこうと協議し、大方のコンセンサスを得たのに、最大の二酸化炭素排出国であるアメリカは批准しようとしない。いまも大量に温暖化ガスを排出し続けています。

核爆弾の保有についても同様です。人類を滅亡に追い込みかねないから、核の拡散を阻止すべきであるといいつつ、「すでに保有しているわれわれは廃棄しない」と矛盾した論理を通そうとする。最大の矛盾は、「戦術核」という小さな核爆弾をつくり、局地戦ならば使えるようにしようと提言していることです。すでに存在する核爆弾を保有し続けるのに加えて、新しい核爆弾をつくる、それでいて核の不拡散を説くことは、明らかに理屈に合いません。ところが、アメリカの国家主義という視点から見ると、それが矛盾ではなく、正義にすり変わってしまうのです。
私は、哲学者をはじめ世界の有識者の方々に「国家とは何か」について、一度議論してもらいたいと思っています。「はたして国家とは、すべての犠牲を払っても守るべき存在なのか」「国家の存在こそが、紛争を引き起こしてはいないか」。このような根本的なテーマを議論していただき、それを論拠として、アメリカをはじめ、すべての国々に、国家主義的な考え方に対する警鐘を鳴らしてもらうのです。

また、先にもお話ししたように、人類は「進歩は善」という妄信のもと、科学技術をとどまることなく発展させてきました。それが核爆弾につながり、最近では「遺伝子組み換え」を可能にし、クローンベビーさえ技術的につくりだせるというところまできています。

こうした分野にとくに強いのもアメリカです。とはいえ、生粋のアメリカ人は、理工系の大学を出ても、お金の儲かる金融系の仕事につきたがりますから、製造業に進む人は減っています。そこでインドや中国などからすぐれた学生をどんどん呼び寄せ、優秀な学生にはパーマネントビザ（永住権）を出し、研究させるということを行っています。そうした人たちによって、アメリカのバイオテクノロジーやITなど、最先端の科学技術の進歩が成り立っている。

気掛かりなのは、アメリカ人がものづくりから手を引き始めたことです。「汗水たらし苦労して製品をつくりあげ、経済発展を図るのはバカバカしい」と、中国や東南アジア、旧東欧諸国などの勤勉な国の人たちにものづくりを任せ、自分たちは設計や販売だけ担当しようとしている。
その一方、「カネを動かしてカネを儲けるのがいちばん」とばかりに、金融工学というジャンルを生み出し、すぐれた数学者たちを使い、高度な金融技術を発達させていった。金、石油、小豆、トウモロコシなどのコモディティ（商品先物取引）や株をもとに金融派生商品をつくり、それを運用して、汗をかかずに次々と大金を稼ぐ。それによって世界一の経済大国の地位を維持しようとしている。これもまた、たいへん危険なものを感じます。

現在（二〇〇八年夏）、ニューヨーク市場における原油価格が高騰を続けています。これは産油国が減産をしたり、需要が多すぎるところに主因があるわけではありません。投機のカネが商品市場に膨大に入ってきたのが大きな原因です。価格が上がれば儲かる。儲かるから、またカネをつぎ込む。それが繰り返され、原油価格を高騰させているのです。

この原油価格の高騰が世界をたいへん苦しめているのに、投資家は逆に、自分たちが儲けるために、値段をできるだけ吊り上げようとしている。これに味を占めた人たちは、今度はシカゴの穀物取引の先物市場に殺到した。その結果、もともと食糧不足にあえぐ途上国は、いまや餓死者が多数出るほど、厳しい状況に陥っています。アメリカの資本主義は、もはや「倫理観など皆無」という状況にまできているように思えてなりません。

このまま行けば、国際的にも大問題を惹起するでしょう。金融工学技術の進歩により、リスクを回避しながらファンド資金を運用できるようになったことを、みなすばらしい進歩だと捉えていますが、このような歪な経済活動が、はたしてどこまで続くのか。ほんとうに人類を幸せにするのか。それが災いをもたらす危険性はないのか。これらの点について、あらためて考えてみる必要があるのではないでしょうか。

アメリカの国力はもはや限界である　梅原

アメリカは資本主義の一種の実験国です。まったく自由な実験が行えて、それがおおむね大成功した。これは歴史に冠たる、すばらしい成功だったといえるでしょう。その結果、アメリカは短期間で世界の超大国にのし上がれた。これは十九世紀から二十世紀にかけての、象徴的な出来事でした。

しかし、アメリカの国力は、もはや限界にきています。これまで超大国アメリカの誇りを支えてきたのは、体面上は「自由」と「民主主義」ですが、実際は「世界一の軍事力」と「世界一の経済力」でしょう。その象徴の一つが核爆弾ですが、これはもはやアメリカの力の強さを示すものではなくなりました。

かつて核爆弾は、軍事力において決定的な力を持っていました。とはいえ、実際に使用すれば、何百万、何千万の人を殺してしまう。へたをすれば、人類そのものを滅ぼす力があります。そんなものを現実に使うのは、まず無理です。そこでアメリカは「戦術核」という小型の核爆弾をつくったということですが、これも同じことの繰り返しでしょう。アメリカが小型の核爆弾を開発すれば、アメリカに敵対する国も、あるいはテロリストも、小型の核爆弾を保有するようになります。アメリカが小型の核爆弾を落とせば、今度はやられた国やテロリストが報復措置を取る。

結局、何百万の人を殺す大型の核爆弾と同じで、使うことは難しいのです。とくに現代では、核爆弾を使えば、その悲惨さが世界中に瞬時に映像で流れます。当然、世界中の人々の批判を受けますから、ますます使うことはできない。そう考えると、アメリカの軍事力の優位さは、非常に危ういものなのです。

もう一つの支えである経済力も、似たような状況です。アメリカの経済力を支えてきたのは、新しい科学技術でいろいろな製品をつくってきたことです。しかし、いまや稲盛さんのおっしゃるように、アメリカはものづくりから手を引いて、金融工学などといういかがわしい学問を開発し、もっぱらカネ儲けにふけっている。それが資本主義の末期現象といえます。そういうアメリカが、京都議定書から離脱せざるをえない。経済活動を活発にするには、二酸化炭素の排出量を規制するなど、とてもできないからです。ヨーロッパ諸国が危機感を覚え、環境問題について、新しい道を模索し始めているのに、アメリカは人類の滅亡よりも、アメリカの経済力が弱まることを恐れているのです。

一方では『沈黙の春』の著者レイチェル・カーソンや、『不都合な真実』を著したゴア元副大統領のように、環境問題が人類の命取りになるかもしれないと、率直で大胆な意見を述べる人もいます。しかし、アメリカ全体としては、いまだ、地球環境問題に真正面から立ち向かおうとしていないのです。

膨大な貧困層の不満が爆発する危険　稲盛

アメリカは近代文明のもと、非常に繁栄した社会を築いたかに見えますが、一方でたいへんな数の貧困層をも生み出しています。二〇〇五年に「カトリーナ」という巨大ハリケーンが、南部の主要都市ニューオーリンズを襲いました。私があのとき驚いたのは、アメリカにはクルマを保有していない貧困層がたくさんいるということでした。

それまで私は、アメリカでクルマのない生活など、あり得ないと思っていました。ところが、あれほどの大規模な洪水のなか、脱出したくてもクルマがないからできない。そんな貧しい人たちが、相当な厚みで南部を中心に存在していることを知りました。

一方で、アメリカの大企業や中堅企業の経営者たちは、みなたいへんな高給を取っています。自ら起業し成功した会社のトップならいざ知らず、サラリーマン経営者にもかかわらず、ストックオプションも含めて、年間二〇、三〇億円の報酬がザラです。五年も続ければたいへんな額で、「あまりにもらいすぎではないか」という批判が出るのも当然です。

それぐらい高い給料を取る人がいる一方、日本の一般庶民よりもはるかに低い収入で生活している貧困層が、ものすごい数でアメリカに存在している。貧富の差があまりに広がっていて、それに対する鬱積が国内に充満していることは間違いありません。何かのきっかけがあれば、いずれ爆発する可能性もあるのではないかと思います。

外資系金融機関を目指す理系の若者たち　梅原

いまのお話で思い出したのですが、理系の大学院に在籍する私の孫の友人で、外資系の金融機関に就職した人がいます。その会社では修士課程を出たばかりの若手社員でも、何億円もの収入を得ることが可能だそうです。昼も夜もなく、ほんとうにがむしゃらになって働かなければならないけれども、三年も働けばたいへんな金額になる。だから、そこに決めたという話を聞きました。大学院を出たばかりの新入社員に桁違いの報酬を出す会社なんてほんとうにあるのかと疑問でしたが、いまの稲盛さんのお話を聞いてよくわかりました。

ただ、理系の若者が外資系の金融機関に就職してしまう状況には、不安を感じます。近代日本の発展は、工業力によって成し遂げられたことはいうまでもありません。西洋では工学系は理学部に属します。にもかかわらず、明治の日本政府はわざわざ独立させて、工学部という組織をつくった。大きな大学だと教員の半分が工学部というところもありました。だから、戦前の理系の秀才は、好んで工学部へ行った。これが日本の富の原動力となったのです。私の父も東北帝国大学の工学部出身で、のちにトヨタ自動車に入り、日本の自動車産業の発展に貢献しました。当時は医学部へ行くのは、多くは医者の子弟でした。

しかし戦後は、医者がいちばん儲かるということで、秀才はみな医学部を目指すようになりました。なかでも東大や京大の医学部となると、たいへんなエリートでなければ入れません。人間を愛する心がない人までが医学部に行ったから、頭がよくても現実に対応できない医者が増える、という弊害も生まれた。

ところが最近、京大の医学部の教授と話したのですが、「医学部の教授なんてもうダメです。収入も少ない」というのです。医者は必ずしも儲かる職業ではなくなってしまったそうです。代わりに増えているのが、国際弁護士になって企業合併の交渉に携わりたいとか、金融界に進んで大儲けしたいとか、一攫千金の夢を持つ人たちだそうです。時代の変化を感じました。

現代にも通じる『アリとキリギリス』の寓話　稲盛

いま日本の外資系金融機関、とくに投資ファンドを扱う会社では、入社数年後の社員が何千万円もの給与をもらうことも珍しくありません。そういう会社では、投資家から集めたおカネで日本の企業を買収し、再生させ、価値を高めたうえで売却するといった事業を行っています。

また、投資家から何千億円というおカネを集め、そこから何百億円かを使って未上場の会社を買収し、上場させるために協力する。このような案件を扱うのが日本人の若いファンドマネージャーで、たとえば一〇人ほどのグループで三〇〇億円の案件を手掛けるとします。うまく上場させ、もし三年で倍の六〇〇億円になれば、三〇〇億円の利益が出ます。このうち二五〇億円はアメリカの親会社が取りますが、残り五〇億円はその一〇人のグループで分けるといった具合です。三年の働きで、一人五億円のカネを手にできるのです。

　日本の銀行を外資ファンドが買って再生させ、たいへんな利益を得たことがありました。このとき中心となって動いたのも、日本人スタッフです。彼らも、その恩恵に与ったわけです。もちろん報酬を得られるのは成功したときだけですが、三年なり五年なりの期間で、相当稼げるのは事実です。だから毎晩徹夜してでも、必死に働く。文系であれ理系であれ、いまは目端の利く人ほど、そのような会社に就職したがるのです。

　アメリカには、日本以上にそんな人がたくさんいます。彼らは若くして大金を手に入れたら、あとはヨットを買うなどして、悠々自適に、若年寄みたいな暮らしをしています。

では、彼らがほんとうに幸せかというと、私は大いに疑問を抱いています。若いころは派手に振る舞っていても、六十歳ぐらいになると、「しょぼくれたおじいさん」のようになっているケースが多いのです。一方、安い給料で地味に働いてきた人は、たいした贅沢はできませんが、けっこう幸せに暮らしています。

　そこで思い出すのが、イソップ物語の『アリとキリギリス』です。あれは昔の寓話で、現代には通用しない話だと思っている人もいるでしょうが、そうではありません。いまも生きている真実だと思うのです。「暑い日にせっせと働くなんて、バカみたいだ」といっていたら、いずれ手痛い目にあう。そこに気づかず、汗もかかず、ぬれ手で粟式に目先の幸せばかり追いかけるのは、いまの社会の危険な風潮です。これはまさに、アメリカの資本主義が生んだ弊害だと思います。

『バイブル』はどこへ行ってしまったのか　梅原

驚くべき価値観の変化ですね。私は「働かないでカネを儲けるのは悪」という考えで、ずっと生きてきました。

たとえば、三代目市川猿之助さんとふとした縁で出会い、猿之助さんに頼まれて書いたスーパー歌舞伎『ヤマトタケル』が、初演から二十二年たった二〇〇八年五月、ついに観客動員数一〇〇万人に達したそうです。その間、私のところにもいくばくかの原作料が入ってきたのですが、役者たちが毎回、芝居を実演しておカネをもらっているのに対し、何もしない私がおカネをもらうのは悪いという気がずっとしていました。しかし、若くして数億円も稼いでいる人がいると聞けば、そんな罪悪感もなくなってしまいますね（笑）。

私は、アメリカ大リーグのプロ野球選手は年俸が高すぎると思っていますが、プロ野球選手なんかはるかに超える高給を取っている人たちがいる。その一方で、貧しくて、食うや食わずの人たちも多数存在する。これはアメリカの現象ですが、だんだん日本もそうなってきています。

また世界の貧困国では、食糧危機が非常に深刻で、飢え死にする人もたくさん出ています。人類が飢えから救われるようになったのは、ごく最近のことですが、再び飢餓が切実な問題になっているのです。しばらくしたら日本でも、餓死する人が出てくるかもしれません。

石油を買い占めて、値段を高くする。そこからあらゆる物価が吊り上がり、食糧危機が起こる。人が死んだり、暴動が起こったりもする。そんなことは「われ関せず」で、自分さえ儲かればいいと考える人が増えている。これはある意味で、カール・マルクスの予言通りの結果です。マルクスは資本家が悪いといいましたが、いまや金融の連中が欲望の塊になっているのです。

そもそも資本主義の基本には、「片手に算盤を持ち、もう片方に『バイブル』を抱える」というニュアンスのプロテスタントの精神が存在していました。キリスト教の倫理が、欲望の追求にブレーキをかけていたのです。それによって資本主義が発展してきたのに、肝心の『バイブル』は、いったいどこへ行ったのでしょうか。

第三章

「進歩」から「循環」の思想へ

アジアでいち早く文明国家になった日本　稲盛

第二部第一章で、梅原先生は、「欲望の無限解放」こそが近代文明の本質であり、それが「自然破壊」と「人間破壊」を同時にもたらしていると指摘されました。私もまったくそのとおりだと思います。また第二部第二章では、自由と民主主義の権化であるアメリカが人類を危機に陥れる可能性について論じました。この章では、ひるがえって日本人の生き方について言及してみたいと思います。

たしかに近代文明をつくってきた日本人は、表面上はたいへん立派なように見えますが、明治維新後、とくに戦後の日本はアメリカと同様、欲望を原動力として動いてきました。それを評価すべきかどうか。

先日、初めてベトナムとカンボジアを訪れ、その成長ぶりを目の当たりにしてきました。しかし、ベトナムやカンボジアをはじめ、フィリピン、インドネシアなどアジア諸国は、かつてヨーロッパの先進諸国に植民地化され、百数十年も進歩から取り残され、貧困にあえいでいたのです。経済に限らず、社会システムや教育など、あらゆる面でたいへんな後れをとり、最近になってようやく自立し、発展を始めているという状況です。

もし日本の明治維新が失敗していたら、わが国も植民地化され、他のアジア諸国と同じ状況に陥っていたかもしれません。そうすれば、現在のような繁栄した日本の姿は存在していないでしょう。明治政府以来の富国強兵政策や覇権主義が近隣諸国にたいへんな迷惑をかけたことは確かですが、国家としての日本の命運という点においては、近代化に向かったことはよかった。その点においては評価できるでしょう。

明治の指導者の洞察力はすぐれていた　梅原

日本がいち早く近代文明を取り入れたのは、明治の指導者の洞察力がすぐれていたからでしょう。薩長政府への批判はいろいろありますが、その中心にいた大久保利通や伊藤博文らは、長期間ヨーロッパへ視察旅行してその進歩に驚愕し、このままでは日本は植民地になると考え、一生懸命近代文明を移入した。それは当時、たいへん意味のあることでした。そして日本の国を統一し、中心をつくる必要があったから、国家主義と天皇制を誇示した。これも当時としては、成功だったと思います。しかし、現在においては、そのデメリットがたくさん出てきています。

美しい心を持っていた江戸の日本人　稲盛

私も最近そう感じています。昨今のような、政官財を問わず各界で頻出する不祥事など、いわゆる「日本の崩れ」を見るにつけ、はたしてすべてを肯定的に捉えてよいものかどうか、考えさせられるのです。そこで思い当たるのは、明治以前の日本人の姿です。

江戸末期から明治にかけて日本を訪れた外国の知識人は、まだ侍社会だった日本を見て、「なんと美しい心を持った民族か」と驚嘆しました。農耕社会で、あまり進歩もしていない。陸上の乗り物といえば、駕籠ぐらいしかない。限られた田畑を耕し、そのなかで家族を養っている。ちょっとした気候変動によって不作に陥り、飢饉に遭う。そんな非常に貧しい、よくいえば慎ましい生活をしていた稲作農耕民を見て、「礼儀作法がすばらしい。知らない道行く人にも挨拶をするし、親切な振る舞いをする。こんな民族がいたのか」と絶賛しているのです。

そこには、当時の日本社会が、鎖国という閉じられた社会のなかで限られた資源を分かち合い、隣近所と仲むつまじくしなければ暮らせなかったという事情もあるでしょう。そのためには、礼儀作法と人間性を培うしかなかったのです。

しかし近代以降、日本は軍事力を増大させ、自然ばかりか周辺民族をも支配し、そこから収奪をして経済発展を遂げてきた。現在も、植民地こそありませんが、やり方を変えて他国に干渉している。経済支援という美名のもと、やはり自国の権益の拡大を目指しています。

いまこそ欲望を抑え、その対極にある「慈悲」「思いやり」「助け合い」「利他」という価値観に目覚め、「みんなで一緒に生き延びていこう」という方向に、日本人がその思考を変えていくときではないでしょうか。

進歩思想が増やした恥知らずな人々　梅原

江戸末期から明治初期に日本を訪れた多くの西洋人は、日本人のことを「ちょんまげをして刀を差している野蛮人」だと思っていた。しかし、接してみると、じつは非常に礼儀正しく、道徳心の強い民族であると感じたのです。いちばんよい例がラフカディオ・ハーン、つまり小泉八雲で、彼は東京や熊本より、出雲の人間のほうがはるかに礼儀正しく、恥を知っていると書きました。出雲の日本人はいちばん「古代的」な人々の部類に入ると思われますが、あるとき彼らの一人が「恥に耐えかね」といって自死した。ハーンは彼の羞恥心の高さにたいへん驚いています。

また出雲の沖にある隠岐島に行くと、どの家にも鍵がかかっていない。これは村に泥棒がいない安心感からくるもので、そんなことは西洋では考えられないとも述べています。小泉八雲だけでなく外国人の多くは、そうした日本人の心性について非常に誉めています。

ただ小泉八雲も、この日本人のよきメンタリティがだんだん失われていくのではないかと嘆いていました。彼が書物を著していたのは明治二十年代の日本においてですが、近代文明を取り入れることに成功すれば、このメンタリティが失われるのではないかというのです。実際、その後の日本は「進歩」という思想により立派な国になりますが、一方で道徳的品性がだんだん低くなっていきます。いわば「恥知らず」の人間が多くなった。

日本人にとって「恥」は、たいへん大事な価値観です。「罪」と「恥」を比べたとき、「恥」のほうを重視する。「罪」の観念が内面的なのに対し、「恥」は外面的で浅いものであるともいわれますが、けっしてそうではありません。「恥ずかしいことはしない」という深い道徳性に裏付けられていて、だからこそウソもいわないのが日本人だったのです。

ある意味では「誇り」であり、それゆえに恥をかかされたら切腹することもあった。その「恥」の観念が、いまやたいへん薄れている。「なぜ恥じることが必要なのか」という、まったく無恥の人間が非常に増えています。

みんなで助け合って生きていく社会の消失　稲盛

それを推奨する風潮もあります。「恥など気にしていたら出世はできない」といった内容の書籍が売れたりする。嘆かわしいかぎりです。「恥を知る」という観念は自分を謙虚に見つめることであり、相手への慈しみにあふれた「親切」や「思いやり」の心につながるものだと思います。それが当たり前に存在した、かつての日本社会はやはりすばらしかった。

長く日本の社会では、旅は歩いてするものでした。足に履くのは下駄か、せいぜいわらじです。もちろん当時にも便利な移動手段として、「車」という概念はありました。たとえば、平安時代以来「牛車」が存在しています。しかし、日本人はそれ以上に発展させようとしなかった。車を馬につないで走らせれば便利なのに、せいぜい駕籠しか使わない。その理由を考えたとき、やはり非常に慎ましく、ありあわせのものを使って、みんなで助け合って生きていくという発想があったのではないかと思うのです。その結果、平和で親切で礼儀正しい日本が存在していた。

ところが、近代に入って、欲望の赴くまま、「もっと生産性を上げて、もっと豊かな生活をしたい」と思い始めてから、だんだん「俺が、俺が」となった。人に対する思いやりも薄れ、助け合う気持ちも消えていった。そうして非常に美しい人間性が、どんどんなくなっていったと思うのです。

なぜ江戸時代を再評価すべきか　梅原

日本の近代化は二十年ほど前まで、一〇〇パーセント正しいものと思われていました。島崎藤村の『夜明け前』は、「江戸時代は暗闇で、明治になって夜が明けた」というメッセージを込めて書かれた近代礼賛の小説です。その本が長きにわたって小中学生の必読書として賞賛されていました。ところが最近、「江戸時代を見直そう」という動きが盛んになっており、私はよいことだと考えています。

なぜ江戸時代を再評価すべきか。何といっても二百六十年にわたって平和を維持した事実だけでも驚くべきことです。世界中を見渡しても、二百六十年間にわたり一国の社会の安定を保ったところはほとんどありません。ちなみに、平安時代の三百五十年も非常に平和で、死刑もありませんでした。

しかも長い平和のもと、文化が栄えた。たとえば、十八世紀の日本人の識字率は、フランス人やイギリス人よりも上で、世界一だったともいわれています。これは参勤交代によって、江戸の文化が全国に広がった影響があるでしょう。そして各地に寺子屋や私塾、藩校などが存在し、子供たちの多くが読み書きを学んでいたのです。

もう一つ評価されるべき点は、自然と共生したことです。運命に従って自給自足で暮らし、自然をほとんど壊さない、見事な循環型の社会でした。江戸時代には俳諧連歌が盛んでしたが、他人が詠んだ句を引き取って新たな句をつくるという手法は、まさに循環型芸術です。ちょうど春夏秋冬が繰り返されるように、進歩はないけれども安定して年月が過ぎていく。そんな社会のありようが、いま注目されているのです。

また宗教の側面でもユニークな時代でした。神道、仏教、儒教、道教がミックスされ、日本人の信仰心に影響を与えていました。このうち神道がいちばん重視したのは「清い心」ですが、これは神の前ではウソをつかないという教えです。

仏教においては、稲盛さんがおっしゃったように、「思いやり」や「慈悲の心」です。そして精進し、腹の立つことがあっても堪え、トラブルを起こさないようにする。

儒教の場合は何といっても「仁」で、これも思いやりの精神です。さらに「信」も重視し、信用がいちばん大事であると説きました。このようなさまざまな教えを総合して道徳心を形づくっていったのが、江戸時代までの日本人でした。

それが明治以降になると、「忠君愛国」に統一されてしまった。その「忠君愛国」も昭和二十年の敗戦で否定され、以後は道徳に関して何も教えなくなった。すると宗教や道徳が軽視され、欲望が目覚めだした。個人個人が「欲望人」になってしまったのです。

そのような状況で、「賢い欲望人」は欲望を抑えながら出世し、「賢くない欲望人」は欲望をすぐに表に出して犯罪に走る。つまり、出世する人も犯罪に走る人も、結局は同じ「欲望人」なのです。これは日本だけの現象ではありませんが、日本の場合、より根深いような気がします。それでもまだ日本の片隅には、古きよき道徳が残っているかもしれません。

「入会権」というすばらしい共生のルール　稲盛

韓国や中国の山村では禿げ山が多いのに対し、日本の山村にはきれいな森林が残りました。昔の日本の農村は燃料に薪を使っていましたが、この薪もすべて下枝を使っていたのです。ほんとうは大きな樹木を根こそぎ切って薪に使ったほうが効率的なのでしょうが、そうはせず、下枝だけ落とし、さらには地面に落ちて枯れたものだけを集める。いわゆる、「柴刈り」です。だから林も森も乱伐されず残されてきたのではないでしょうか。自然を征服したり、収奪したりしない知恵を知っていたのです。

そのことを、身をもって感じたエピソードがあります。いまから五十年近く前のことですが、滋賀県の山林を分けてもらい、工場をつくりました。工場の裏は赤松林で、工場をつくった最初の年の秋に行くと、たくさんの松茸があり、社員たちと採って、松林のなかですき焼きをしました。これはたいへんな財産だと喜んでいたのですが、翌年の秋、同じ場所に行くと、「松茸を採るべからず」という看板がかかっていたのです。周囲には縄も張り巡らされていました。最初の年、われわれがすき焼きをした匂いが近くの集落まで漂っていたため、翌年、集落の人々がそんなことをしたようです。

この山は私どもの会社の所有地です。なぜそんなことをするのかと聞くと、「この周辺に生える松茸は、すべて集落の人々のものだ」とおっしゃる。土地の所有者が誰であろうと、勝手に採ってはいけない。採りたければ、入札して買えと。松茸が欲しければ、それが生える前に「この地帯の松茸は私が買う」と報告し、集落にお金を払う。もたらされたお金は、全部集落の人々のために使う。そんな決まりがあり、とにかく「俺が、俺が」ということを許さないのです。

この話を聞いたとき、はじめは「なんてひどい話だ」と思いました。しかし、じつはこれは「入会権（いりあい）」という日本古来の風習であり、集落の秩序を維持する立派なルールだそうです。日本の山村が長年荒廃せず維持されてきたのは、みな同じようなルールを持っていたからでしょう。田畑に流れてくる水の分配にもルールをつくり、得手勝手を許さない。そうして欲望の突出を抑え、みんなで共生していたのです。

昨今の日本を見たとき、少子高齢化によって人口が大きく減少し、将来日本は老人ばかりの国になるといわれます。このとき不足する労働力を補うため、移民を受け入れようという話もあります。

しかし、私はその必要はないと思うのです。少子高齢化というのは、逆に考えれば、住みやすい、ちょうどいい人口の社会になるということです。経済力や軍事力で世界に覇を唱える気さえなければ、暮らしやすい国にするのに適しています。「縮み志向」といわれるかもしれませんが、日本列島のなかですばらしい人間性を保ちながら、人々がともに生きていける、それこそ理想的な社会の姿ではないでしょうか。

それでは閉鎖的で、「経済的に発展しない社会だ」といわれるのかもしれません。しかし、限りある資源をみんなで分かち合い、助け合って生きていくことを通じて、すばらしい人間性が培われる、「精神的に発展する社会だ」ともいえるのです。

江戸の循環型社会をいまこそ見直すとき　梅原

稲盛さんがおっしゃるとおり、地球が蘇る新しい社会システムを考えた場合、やはり江戸文化というものを、もう一度見直す必要がある気がします。江戸時代は、二百六十年発展してきました。江戸時代というと、人間の自由が奪われていた、たいへん封建的な時代だったという考え方が一時期の日本で主流でしたが、そうではありません。

たとえば、表向きには身分制が確立しているように見えても、優秀な人材を登用する抜け道がたくさんありました。江戸幕府にしても、将軍がいて、大名がいてと、ピラミッド型の組織のように見えますが、非常に身分の低い者が実力で上に上がることもけっこうあった。側用人もそうで、その存在を悪くいう人もいますが、人材登用の一つであったことは確かです。

殿様にしても、ダメな殿様なら早めに隠居させてしまい、次の殿様に代える。いわば平和裡に行われる、一種の革命のような制度も、非常に発達していました。

しかもまったくの自給自足。全部循環していて、農作物は人糞を肥料にして育て、その育った作物を人々が食べ、また排泄したものを肥料にするのです。

明治以降、その循環型社会が壊れ、いわば発展型社会に変わった。それによって豊かになりましたが、環境破壊が起こり、人心も大いに荒れてしまった。ここで循環型社会をもう一度、見直す。それにはやはり、江戸時代を見直すことが大事ではないか。そんな考え方が、最近増えています。

外国人が感動した「ありがたい」という言葉　稲盛

たしかに江戸時代の循環型社会は、平和で自然破壊をしない、すばらしいものです。とはいえ、いま「そこへ帰れ」といっても、なかなかそうはなりません。そのあたりを、どのようにするか。江戸時代のいい点を学び、これを現代にどう移し替えていくかが、われわれの考えるべきことでしょう。

現在は循環型社会ではなく、一方通行の社会になっています。収奪をして、すべて浪費して前へ突き進んでいく。いまこそ循環型社会のあり方を学び、それを現代に引き直して応用していく必要があります。人類が生き残るには、それしか方法がないように思います。

稲作・漁労を中心に従事してきた日本民族は、弥生時代から今日まで、太陽や水を中心にすばらしい循環型の社会をずっと続けてきました。ですから日本には森林がどの国よりも残っていますし、村落では人々がお互いに助け合って生きています。その典型が先ほどお話しした「入会権」というもので、森にしても、たとえ個人の持ち物であろうとも、そこにあるキノコも落ち葉も、すべて村落共同体のものとして分かち合うのです。とくに稲作農耕では、水の配分が非常に大事です。水は「俺の田んぼにだけ引く」というわけにはいきませんから、お互いが力を合わせ、助け合うしかない。

そのようななかから生まれた日本人の英知を、先ほどの循環型社会と同じように学び、現在に活かしていく。これもまた今後の課題かもしれません。

かつて日本人は非常に貧しい生活をしていたなかでも、「ありがたい」という、感謝の言葉をふつうに発していました。慎ましやかでもみんな一緒に食べて生きられるのは、ふつうならあり得ない、あり難いことだ。だから、「ありがとうございます」という感謝の言葉が自然に口をついて出ていた。そこにすばらしい響きがあり、外国人がみな「なんと美しい心根を持った民族だろう」と感じいったのです。

「もったいのうござる」という言葉もありました。「私ごときが、こんなことをしてもらって、もったいない」というわけです。同じ意味で「かたじけない」という言葉もあります。そのような言葉に込められていた、日本人の美徳が失われてきたことが、現在の非常にさもしくれだった社会を生み出している気がします。

「いただきます」は誰に向かっての言葉か　梅原

私は子供のときからずっと、食事をするときは「いただきます」、終わったら「ごちそうさま」といってきました。では、誰にいただいて、誰にごちそうさまなのかというと、天や神や仏といった人間を超えた存在に対してです。「天の恵みをいただきます」というわけで、さらにはそれをつくったお百姓さんにも、「いただきます」という。食べ終わったときも、それらの存在や人々に「ごちそうさまでした」とお礼を述べる。

「お天道様」という言葉もそうです。「お天道様に申し訳ない」などといいますが、この「お天道様」も神や仏などで、それに対して申し訳なく思う。「お天道様が見ているから、ウソはつけない」と思ったりするのです。

地に落ちてしまった日本の道徳　稲盛

いまのお話で思い出したのが、先日読んだ新聞記事です。学級参観に来た父母の一人が、子供たちが給食時間に「いただきます」というのを見て、「なぜ『いただきます』といわせるのですか」と文句をいったというのです。

「私は給食費を払っています。学校からもらったものではありません。だから、うちの子にそんな言葉をいわせては困る」というのです。道徳も地に落ちたと思いました。

「焼け跡世代」の責任は免れない　梅原

その親に対して誰も道徳を教えなかったからそうなってしまうのです。昔は、お坊さんが教えてくれました。ところが、お坊さんが初等教育から閉め出され、教えなくなった。神主さんも同じです。そのうえ家庭でもまったく教えない。母親が教えるのは、「早く偉くなって、お金を儲けろ」といったことばかりです。だから子供も、「一生懸命勉強するのは、親に楽をさせるため」と考える。これはこれでいいことですが、それだけでは問題です。やはり家庭以外に、道徳を教える場所が必要です。

いまは道徳というと、すぐ「愛国心」が出てきますが、そうではなく、「ウソをつかない」とか「精進する」「慈悲の心を持て」といった、人間として正しく生きるために必要な事柄を教える必要があります。それもまず、親に教えなければならない。親がおかしくなっているのですから。

われわれの父親の世代は、まだ江戸時代からの価値観で子供を教育していました。さらに、私は実の母が子供のころに亡くなったので伯父伯母に育てられました。私は伯父伯母を実の父母と思って育ちましたが、その伯母すなわち養母は、尾崎紅葉の高弟の小栗風葉の妹でした。風葉は大酒呑みで女たらしでしたが、養母は『女大学』の教えをそのまま実践し、朝早く起き夜遅く寝て、おいしいものはみんな腹をいためた子じゃない私に食べさせました。『女大学』の、子なきときは夫の親戚の子をもらい、わが子のようにかわいがる、という教えを守ったのです。そして私に、ウソをつくなとか人をいたわれという道徳を身をもって教えた。

ところが、私たち「戦中派の世代」は、子供に道徳をきちんと教えなかった。昭和二十年の敗戦によって価値観が引っくり返りましたから、道徳に対する不信感を持っていたのです。だから「学校へ行って勉強しろ」とはいっても、「こういう人間になれ」とか「こういう道徳を持て」ということは教えなかった。それでも親が正直に生きていれば正直な人間が育つし、親が努力していれば、努力する大切さを子供は学ぶのですが、口で教えなかったことは大きい。

その意味で私たちの世代は、怠慢だったと思います。私自身、「道徳が大切」だと言い出したのは七十歳になってからです。何か道徳を教えることは偽善的だという気持ちが残っていたのです。哲学者の私がそうだったのですから、誰も道徳を教える人がいない。いま日本がおかしくなっているのはそのせいもあると責任を感じています。

道徳や躾は親が押しつけて教えるもの　稲盛

われわれの世代が、自分たちの子供に道徳を教えることに怠慢だったことについては、戦争の後遺症としての罪悪感だけでなく、戦後教育のなかで「押しつけはダメだ」といったきれいごとが、金科玉条のごとくはびこっていたこともあるでしょう。子供の自主性や創造性を奪うような押しつけは、問題視されていました。

しかし、道徳や躾というのは、人から無理やりにでも教えられなければ、子供が自分で考えつくものではありません。動物の世界を見ても、やっていいことと悪いことはすべて、親が嚙みついてでも教えています。道徳とは人間としてのあるべき姿を示すもので、本来、親が押しつけてでも教えていくことが大事なのです。

それを大人たちは、過去への罪悪感や自信の喪失によって教えなくなってしまった。そんななか梅原先生は、勇気を持って道徳や宗教を語り、子供の教育に関わってこられました。そのような先覚者に多くの日本人が呼応し、行動していくことが大切だと思います。

親鸞の教えこそ「循環の思想」である　梅原

明治以後、とくに戦後の日本人にとって、「循環」は悪でした。進歩や発展が「善」で、循環は「悪」。私は大学に入ってから時間の研究をしましたが、中世の西洋では、時間とは直線型です。「地上の世界」から、いずれ「神の世界」へと向かう。そのように時間が進むのです。

近世になると「神の世界」がなくなり、この「地上の世界」がどんどん進歩し、そういう進歩や発展こそが、最大の価値となる。じつは日本の政党が目指しているのも、すべて進歩です。最近になって「保守」という言葉を使い、繰り返すことの大事さをいう政党が出てきましたが、社会党や共産党ばかりか、自民党も進歩に価値を置いてきました。

しかし、進歩とは、じつは地獄へ向かう進歩かもしれない。やはり循環こそ、いちばんの価値にしなければなりません。子供が親と同じような生活を送る。そういう循環が、いちばん大事なのです。

日本の俳句も、循環を大事にします。俳句ではつねにめぐりゆく春夏秋冬を詠みます。そんな

「俳句型」ともいえる考え方を取り入れなくてはならない。江戸時代と同じにはならないにしても、人類を長く生存させることを前提として、科学技術を変質させていく。

動物学者の河合雅雄さんから聞いたのですが、明治までに絶滅した動植物というのは、ほとんどいないそうです。絶滅したのは全部、明治以降。それはやはり、循環社会と進歩発展社会の違いだと思います。その点からも、循環社会に移行する知恵を開発すべきです。

循環の話でもう一ついいますと、私は浄土真宗や浄土宗というのは、じつは循環の哲学を背景に持っていると思います。浄土真宗の開祖・親鸞は、『教行信証』で二種廻向をいちばん中心的な説として書きました。二種廻向とは、「往相廻向」と「還相廻向」です。念仏を唱えれば、極楽浄土へ行ける。ただし、極楽浄土にずっといるわけにはいかない。なぜなら、仏教は「自利利他」の教えですから、この世に苦しんでいる人がいる以上は、また帰ってこなければならない。

阿弥陀さんのおかげで、念仏を唱えて極楽浄土へ行き、また念仏を唱えれば、阿弥陀さんのおかげで、この世に帰ってこられる。そういう考え方といえます。ある意味、無限にこの世と極楽浄土を往還するという考え方で、これを信仰した人間は、もう弥勒に等しい。これを「等正覚」といい、私も最近、もう人生があまり残っていませんから、親鸞の信仰がいちばんいいような気がしています。これだと死が恐ろしくなくなるのです。また生まれてきて、また人を救って死んでいけると考えられるからです。

この輪廻ともいえる考え方は、仏陀にはありません。仏陀の教えは輪廻を免れることにあったからです。ですから、親鸞の宗教と釈迦の宗教は、違うもののように感じます。ヨーロッパの宗教にも、輪廻のような考え方はありません。キリスト教の教えは神の国の到来と復活ですが、神の国が到来すれば時間が止まってしまいます。

しかし、親鸞の思想は無限の循環です。これは古代エジプトの思想と近いものがあります。阿弥陀仏は無量寿仏であり、無量光仏でもあります。これは無限の光を意味し、太陽神ラーに近い。

浄土宗の開祖で親鸞の師である法然上人は、死ぬときに「私は極楽浄土から帰ってきた」とも「私は三度生まれ変わった」ともいいました。一度目は、インドで釈迦が『無量寿経』を語ったとき、聴者としてそこにいた。二度目は中国で、善導という浄土教を布教する坊さんだった。三度目の生まれ変わりが法然で、だから自分は極楽浄土からやってきたというのです。

親鸞も同じような考え方で、自分を聖徳太子の生まれ変わりと考えていたようです。生まれ変わって、やはり人のために尽くす。これはたいへんよい考え方だと思います。

ところが、戦後の浄土真宗では、そういう捉え方をしません。二種廻向の説も語らない。なぜなら、科学に反するからです。死んで極楽浄土に往生するだけでも非科学的なのに、そこから帰ってくるのは、もっと非科学的だというわけです。

二種廻向の説は、親鸞の教えのなかでも大事なものですが、まともに説いた人は一人もいません。しかし私は、「帰ってくる」からこそ、逆に科学的なのだと思うのです。行って、帰ってくる。遺伝子もそのように生まれ変わって、ずっと死と復活を繰り返します。帰ってくる思想によって、遺伝子科学と通じるのです。この二種廻向の説こそ遺伝子科学が明らかにした遺伝子の不死を神話化したものであるといえます。

同じような遺伝子を持った、同じような人間が、千年先に帰ってくるかもしれない。帰ってきて、また人間を救済する。これほど強い信仰はありません。楠木正成は、後醍醐天皇のために足利軍と戦った湊川の戦いで死ぬときに、「七度生まれ変わって国のために報ぜん」といいましたが、これも生まれ変わりを前提としています。

いままで浄土真宗というと、「悪人正機説」だけでした。「悪人が救われる」ということで、あまり善いことをしていない近代人は、とくに女遊びをした人は、この「悪人正機説」に飛びついた。親鸞によって私も救われたと喜んで、また女をつくった高僧があります。

しかし、親鸞のいう「悪」とは、そんな女色の悪ではない。ほんとうは父殺しの悪です。親鸞は、父殺しをした阿闍世王が自分の心のなかにあると考えている。これは親鸞の謎であり、その謎が最近わかりかけてきましたが、ここでは語りません。人間のなかには父殺しもしかねない、悪い性質がある。最近親殺しの話が多い。親鸞は人間の悪を深く見つめている。そんな悪人もまた阿弥陀様によって救われ、仏になる。ここに親鸞の思想の深さがあるのです。

親鸞の教えが、いままで誤解されてきた気がして仕方ありません。この思想ももう一度見直す必要があると思います。

第四章

世界連邦政府を樹立せよ

核の引き金が引かれる危険性　梅原

第二部第三章で日本人の道徳心の欠如について論じましたが、私が心配しているのは、日本だけではなく世界中の人々が道徳を失っていることです。核兵器の拡散が進み、アメリカによるイラク戦争など典型的ですが、国家のエゴ丸出しの争いもあちこちで起こっています。

さらに今後、地球の人口が爆発していった際に、国家間の資源や水、エネルギーをめぐる争奪戦が嵩じて、どこかで核戦争の引き金が引かれる危険性が高まっているように感じます。

過去、人類は戦争によって、国の運命を決してきました。戦争というのは、兵器のよし悪しによって勝敗が左右されます。石器を用いる民族と銅器を用いる民族では、銅器を用いる民族が勝ち、銅器を用いる民族と鉄器を用いる民族では鉄器を用いる民族が勝ちました。近代戦争でもそうです。軍艦、飛行機、そして究極の殺人兵器として原子爆弾が生まれました。これが広島と長崎で約三〇万人の命を奪いました。それがさらに発展し、水素爆弾ともなると一〇〇万人、一〇〇〇万人を一気に殺すこともできます。ひょっとしたら人類すべてを殺せるような爆弾も、すでにできあがっているかもしれません。

核戦争の危機は旧ソ連とアメリカのあいだにありましたが、これは戦争に至らずにすみました。しかし、核兵器が拡散し、さらに進歩すると、小さな国でも簡単に核兵器を持てるようになるでしょう。そのような状況になったとき、覇権意欲に満ちた指導者が現れて、核戦争を引き起こさないとも限りません。核保有国はすぐにでも核兵器を廃棄するという選択をとらないと、人類が核戦争で滅びる可能性はなくなりません。

二〇〇八年七月の洞爺湖サミットで環境問題が重要視されたのはたいへん喜ばしいことです。それほど環境破壊が大問題になっていることを人類は感じはじめているのでしょう。ひょっとしたら人類を滅ぼす問題になっていくのではないかと、みなが思いはじめている。地球温暖化にしても、至るところでたいへんな問題が起きています。環境問題が全世界的問題であり、それを解決するには人類が一致団結しなければならないことが、多少わかってきたのです。

ところが、表向き「そうしましょう」といっても、具体的に「二〇五〇年までに温室効果ガスの排出量を半減する」となると、どの国も進んでやろうとしません。アメリカは「中国やインドがやらなければ意味がない」といっていますし、日本も口では「やる」といっていますが、本気で実現するには生活を激変させなければなりません。そこまでする覚悟があるとは、とても思えない。総論は賛成でも、各論では少しも実行しないという現実があり、こんな状態で、この問題を解決することはできません。

そう考えたとき、やはり「世界連邦政府」といった組織が必要になると思います。現在の国際連合は、大国の利益を主張するだけの組織のように思われます。真に人類的な立場に立ち、環境破壊や人口爆発、核戦争などについて議論し解決する機関をつくらねばなりません。

国際連盟や国際連合は、イマヌエル・カントの考え方を基礎とするものです。カントは、民主的国家ができれば必ず理性が勝ち、理性的な国際協調の機構ができるという理想論を説きました。国際連合は本来、その理想に即してつくられたのですが、実際には「強国のエゴイズム」が罷り通る場になっています。これではけっして核戦争防止には役立ちません。

湯川秀樹博士たちの遺志を継ぐべきとき　稲盛

たしかに世界連邦政府のような組織をつくり、人類の英知を結集して環境問題や核拡散問題、資源問題などを考えることは重要です。思い起こせば戦後間もないころ、アルベルト・アインシュタイン博士や湯川秀樹博士らが、原子爆弾の登場による人類の行く末を案じ、世界連邦政府構想を唱えたことがあります。湯川博士は生前、そのための活動を積極的に展開され、奥様も一緒に活動されていました。

ところが、そうした声はだんだん小さくなりつつあります。たいへん残念なことに、「現状を受け入れるしかない。そのような構想は非現実的だ」という声が支配的で、みな真剣に考え、理想を追求しようとしないのです。

しかし、いまこそ湯川博士たちの遺志を継ぐべきときではないでしょうか。広島の平和記念公園にある「若葉の像」の台座には、湯川博士による短歌「まがつびよ　ふたたびここに　くるなかれ　平和をいのる　人のみぞここは」が、銘文として刻まれているといいます。この言葉を世界の為政者たちに伝えていかなければいけません。

仏教の「殺すなかれ」を人類の道徳に　梅原

物理学者であるアインシュタインやロバート・オッペンハイマーらは、自分たちの創造した科学が殺戮の兵器を生んだことに、たいへん良心の痛みを覚えたのでしょう。そこで世界連邦構想を唱え、湯川先生も同じ憂いから同調された。しかし、それは非現実的だとして問題にされず、国際連合はむしろ逆の動きをしている。

それでも理想としては正しいのですから、それを言い続けなければならないと思います。そしてわれわれは、戦争とは人を殺すことを目的とし、多く殺せば勝ちになる、まさに悪そのものであることを、いま一度確認すべきです。それを抜きにして、核問題も解決しません。

この点を説くに当たって私は、仏教の教えが有効だと思っています。仏教の戒律では第一に、「殺すなかれ」と説いています。その対象は「有情」、つまり人間だけでなく動物まで含みます。それらを「殺すなかれ」というわけで、だからお釈迦さんは菜食生活で、肉食をしないのです。

核戦争の危機がこれだけ叫ばれる時代においては、仏教の「殺すなかれ」こそ、人類の道徳にすべきです。これは動物も含みますから、「自然を守れ」ともなり、環境保全にもたいへんよい思想になります。

地球規模の環境破壊にしても、人間一人ひとりのエゴイズムであると同時に、国家のエゴイズムでもあります。もっとも影響の大きい近代西洋思想は、デカルトの思想と、イギリスの政治哲学者トマス・ホッブズの思想です。近代国家において、国家は絶対である。国家は「リヴァイアサン」という恐ろしい怪物で、その意志に従わない限り人間は生きていけない。これがホッブズの思想で、そうした国家の絶対の思想が、核戦争の危機すら生んでいる。私は哲学者として、死ぬまでには現在のデカルト哲学に代わる、新しい哲学をつくりたいと思っています。

先ほど紹介したレイチェル・カーソンの『沈黙の春』など、いままでアメリカ人の書いた地球環境に関する本を読むと、具体的に「太陽光発電を行え」「風力発電を行え」といったことは書いていても、その根本にある近代哲学に対する批判を欠いています。太陽光発電や風力発電はあくまで応急手当で、根本においては哲学を変えるしかありません。人類の歴史を「欲望の増大の歴史」と考え、反省する。そういう歴史観が必要なのです。

仏教は、初期の段階から「人類は業によって滅びる」と説いています。業というのは人間の欲望に支配されていることです。欲望を抑制し、欲望から自由になることが仏教の悟りです。この思想は人間が釈迦の当時よりもっと欲望の奴隷となっている現在において有効です。

先に述べた「草木国土悉皆成仏」という思想は、一般に天台仏教と真言密教が一致して生まれた、天台密教で発達したものと捉えられています。しかしそれ以上に、私は日本の神様と仏様が一致して生まれた理論だと思います。

日本では、神様は山にいます。そしてそこは、死者の国でもある。だから、最澄の天台仏教にせよ、空海の真言密教にせよ、本拠地をみな山に築きました。

天台仏教の本山の比叡山は、いまでも誰も入ったことのないような森林がある鬱蒼とした山です。真言密教の本山の高野山も、たいへんな天然林があります。そういう森深き山を本拠地にしたのです。そこは神様の住む土地でもありますから、必然的に神道と融合せざるを得ません。

そんな神仏習合が行われ、そこから生まれたのが修験道です。明治初期の神仏分離・廃仏毀釈（はいぶつきしゃく）で仏教は捨てられましたが、このとき仏教以上に捨てられたのが修験道です。つまり、神仏習合の宗教が捨てられ、山が聖なる場所でなくなったのです。ここにたいへん大きな問題があります。

私は愛知県の田舎で育ちましたが、家々には神様と仏様が同居していて、仏壇の上には必ず神棚がありました。仏様に手を合わせるとき、同時に神様にお祈りする。

神様にお祈りすることで、自然を大事にするとか、神道のいう「清い心を持て」「誠の心を持て」といった考えを身につけるのです。

一方で、仏様に手を合わせることで、仏教の「精進（しょうじん）」、つまり「一生懸命に働け」という考えも学ぶ。あるいは「忍辱（にんにく）」、つまり「忍耐して辛抱せよ」「侮りに耐えろ」といったことや、「慈悲」の心を学ぶ。神道にも慈悲はありますが、仏教のほうが、よりはっきりうたっています。そうした神仏習合によって、日本人の心に自然に道徳が育まれてきたのです。

ところが、明治になって神仏が分離され、仏教が公教育から排除されてしまった。仏教が排除されたばかりか神道も排除された。代わって新しい天皇崇拝の宗教がつくられたのです。これがまた一九四五年のマッカーサーの命により禁止された。以後、道徳というものが、教育のなかから完全になくなってしまったのです。

道徳が教えられなくなる一方、人間の利益を追求し、欲望を増進するばかりの教育が行われるようになった。「欲望を抑えよ」と教えることはあっても、それは「より大きな欲望を満たすため」となる。怠けたい心を抑え、厳しい受験勉強に耐える。そうして見事合格すれば、いい職業に恵まれるというわけです。

これだといい職業には恵まれても、道徳はまったく身につきません。その結果、いい職業に恵まれた人たちが、とんでもない罪悪を犯す。その一方、落ちこぼれた人たちは、裸の欲望によって、めちゃくちゃなことをしでかす。そこから親殺しや子殺しといったことも起こってくる。これがいまの日本の現状といえます。

EUは「世界連邦政府」のひな型になりうる　稲盛

たしかに神仏習合の思想なども、今後求められる新しい宗教、あるいは新しい哲学のひな型となるのかもしれません。このあたりを理論的にまとめていただき、世界の宗教、哲学を網羅し、集大成したような新しい人類の哲学を、梅原先生に樹立していただきたいと思うのです。一方で、地球上の争いをなくすため、先ほど先生がおっしゃった「世界連邦政府」のような具体的な仕組みも考えていく必要があります。

もちろん国連なども知恵を働かせて、紛争解決や全人類が仲よくするための地道な努力を続けていますが、各国の利害の対立する様子を見ていると、正直いってどこか無力感が漂います。

そうではなく、地球上の全人類・全民族が一つの国、すなわち「地球国家」の成立を目指す。当然、実現は非常に難しく、一朝一夕にできるものではありません。しかし、小異を捨て大同を求める。いま世界連邦政府については、あまり注目されていませんが、これこそが人類を救う重要な新しい社会システムになる気がします。

真剣にその樹立を考えることが必要ではないでしょうか。

希望が持てるのは、ヨーロッパでこれまでいがみあっていたドイツとフランスを中心に、欧州連合（ＥＵ）というかたちで国を超えた結束が始まっていることです。少し前までは各国の利害が対立し、とても考えられなかったことですが、すでに通貨まで統一するといった大胆な統合がなされています。

古くは普仏戦争、さらには第一次世界大戦、第二次世界大戦でも干戈を交えたドイツとフランスが、過去の過ちを反省し、積極的にヨーロッパ統合に動いた。このことの持つ意味は大きいと思います。ＥＵとは世界連邦政府のひな型のようなものであり、これをさらに拡大させていくにはどうしたらよいかを、世界の為政者たちにぜひ考えてほしいと思うのです。

まず日中韓で「アジア連合」をつくれ　梅原

ＥＵは、国家を超えた一つの共同体です。もともとヨーロッパ発の近代文明は、国家主義とつながっていました。その背景となるのが、先ほどもご紹介したように、トマス・ホッブズの国家主義の思想で、国家とは怪物であり、絶対の力を持っているとする考え方です。この国家主義思想がヨーロッパ諸国を発展させせました。

しかし、二度の世界大戦という悲惨な出来事を経験し、その過ちを繰り返さないために、いまヨーロッパ諸国は、国家よりもさらに上の存在を目指していると思うのです。その表れとして欧州連合（ＥＵ）ができ、ヨーロッパ共通通貨・ユーロの勢力を拡大させ、将来的には国家を超えた国際的な政治統合へ向かおうとしています。

このような状況を考えたとき、人類の目指すべきは、ＥＵのような組織を世界各地につくり、さらにその上に世界連邦政府をつくることではないでしょうか。今後、アジアや南北アメリカで、ＥＵを見習って地域共同体創設への動きを加速させるべきだと思います。そういう共同体を世界のあちこちにつくり、共同体内部での紛争は、共同体で解決していく。共同体を超えた紛争は、共同体同士が話し合う組織をつくり、そこで解決する。これが実現すれば、環境破壊の問題も核戦争の問題も、解決する方向が見いだせるように思います。

そこで日本としては、ＥＵに対するＡＵ（アジア連合）をつくるべきです。とくに東アジアの場合、日本、中国、韓国は同じ漢字文化圏です。そして、大なり小なり、儒教と仏教と道教の影響がそれぞれの国民の心に残っており、道徳観も共通するところがある。このような道徳観を共通に持つ東アジア三国がまず共同体をつくり、環境問題や核問題を議論し、発言していくのです。そんなアジア共同体が生まれ、さらには世界各地に同様の共同体が誕生すれば、核戦争の危機を避け、環境問題を解決するための第一歩になると思います。

じつは日本経済新聞の主催による「日中韓の賢人会議（北東アジア三極フォーラム）」というものが、二〇〇六年から行われています。第一回がソウル、第二回が東京、第三回が北京で、毎年三カ国が持ち回りで開催しています。そこで、そうした共同体の思想について、日本側の代表である中曽根康弘・元首相が話をしました。さらに私が、それに対する理論づけを行いました。

EUの背後には、キリスト教があります。一方、アジアの共同体の背後には何があるかというと、一つの宗教ではない。儒教であり、道教であり、仏教です。三国とも儒・道・仏の影響の程度はそれぞれ違いますが、共通して三つの宗教を持っていることは間違いありません。

そしてこれらの思想は、いずれも人間中心ではありません。儒教は「天」を尊重します。天とはすなわち自然です。道教は、自然崇拝がはなはだ強い。仏教でもやはり自然に重きを置く。人間中心ではなく、人間を超えた偉大なものを崇拝する。それは大日如来でもあるし、阿弥陀如来でもあります。

さらにもう一つ、三国では「祖先崇拝」が非常に強い。祖先崇拝とは、人間をはるか祖先まで考えることです。現代の生物学は、人類の祖先を人類を超えてアメーバにまで拡大します。そうなると祖先崇拝は人類をずっとアメーバまで拡大する思想となる。そして人類が、生きとし生けるものすべてと共存する思想になる。こうした考え方は将来の人類の思想としてたいへん重要です。そういう思想を根底にして、EUならぬAUをつくればいい。そんな話をしたのです。

中国は最初、中曽根さんは「反中国」だと思っていたようでした。その中曽根さんがはっきりとAU構想を打ち出し、私がまたそれを理論づけたということで、中国はたいへん感激していました。そして帰国直前に急遽、中曽根さんと胡錦濤総書記との会談も決まり、日中友好の雰囲気が急激に醸成されたのです。そしてその少しあと、胡錦濤・福田会談が行われ、日中親善の新しい関係が生まれたのです。これは福田赳夫・元首相の功績です。

もともと中国にはアジア共同体に対する問題意識があまりなかったのですが、私どもの話を聞いて、大いに納得してくれました。その意味で、三国の賢人会議は、アジア共同体構想の実現に大きく貢献したと思っています。

最初は三国だけでもまとまることが大切　稲盛

すぐに実現には至らないでしょうが、一石を投じ、みんなが関心を持つようになったのは、非常によいことです。おっしゃるように、アジア全体でAUのようなものができてもいいし、日中韓三国だけでもいい。最初は三国だけでも、まとまることができれば、やがてASEAN（東南アジア諸国連合）のほうにも広がるでしょう。

環境問題をはじめ、いま起きているいろいろな国際問題を根本的に解決するには、「世界連邦政府」みたいな発想が必要です。その先駆けとしてEUがあり、次はAUみたいなものをつくる。これに対し、梅原先生が実際にイニシアティブをとり、一石を投じていらっしゃるのはすばらしいことですし、暗い世の中で明るい希望が持てる話だと思います。

議長国は韓国にやってもらうのがいい　梅原

ただ、AUが東アジア三国でできたときの議長国は、当分は韓国にしたほうがいいでしょう。日本や中国は、やらないほうがいい。今後、台湾をはじめ、その他の国が入るようになったときも、議長国はなるべく小国にする。そうすればAUについて、「大国・中国の支配にならない」「アジアを侵略した日本の支配にならない」ということをアピールできます。

この私の提案は、韓国にもたいへん評価されました。二〇〇九年にはまた、ソウルで開催される予定です。そうしたなか、より友好が深まり、四川大地震のような災害が起きたときは、日本が助ける。そんなことができるようになればいいですね。これとは逆に、中国に対する警戒心や、中国に対する侮蔑を煽るような動きが一部のマスコミにあります。私は、これをたいへん憂えています。

人類が争いながら発展してきたのは過去の話　稲盛

これまで人類は、争い殺し合うなかから、結果として相手の文化や価値観を吸収し、同化させて進歩を果たしてきました。建築様式にしても芸術的な装飾にしても、敵対した相手の特徴ある形を自分のなかに取り入れ、様式美をさらに進化させていった。とくにナイル、チグリス・ユーフラテス川流域などでは大文明が発生し、それらが競い合い、あるときは衝突し合いながら発展を遂げてきました。

それは科学技術も同様です。二十世紀最大の発明といわれる航空機も、二度にわたる世界大戦で飛躍的な進展を遂げました。また原子物理学も軍事利用が大きな推進力となったことは否めません。その意味で人類は、争いをしながら発展してきたといってもよいのかもしれません。

しかし、いまや人類は自らを滅ぼしかねないほどの強力な科学技術を手にしました。このまま争いによる発展を目指していくなら、人類に未来はありません。二十一世紀には争いに基づく文明に終止符を打ち、お互いが助け合う共生の精神に基づく、美しい世界文明をつくりあげなければならないと思うのです。過去の人類は国家のエゴ、民族のエゴ、宗教のエゴなど、お互いの利害ばかり主張し、争ってきました。今後はそうした利害を超え、お互いが助け合い、慈しみ合いながら、平和で思いやりのある世界をつくる。そのなかで互いの文化を尊重しながら、地球規模の新しい文明を構築していくのです。

古代エジプトの多神教の伝統に帰れ　梅原

アーノルド・トインビーというイギリスの歴史家が、文明についてこんなことを述べています。二十世紀の半ばまでは西洋諸国が世界を制してきた。それは西洋諸国が科学技術文明を生み出したことによって、軍事的にたいへん強くなり、経済的にも豊かになり、世界支配に乗り出したからだ。一方で科学技術文明を採用しない国は西洋の植民地になるしかなかった。それが十七世紀から二十世紀までの歴史だった。しかし二十世紀の後半以降は、非西洋の国家が西洋の科学技術文明を取り入れながら、自己の文明を活かす文明をつくっていく。そんな時代になるのではないかと。そしてトインビーは、西洋文明の親文明はギリシャとイスラエル文明であり、祖父文明はエジプトとメソポタミアの文明であるとしています。これは達見ですが、これらの文明がどのような構造を持っているのかという問題の解明をほとんどしていません。

これまでの文明論や世界史では、西洋文明の父母はイスラエル文明とギリシャ文明であるとされてきました。イスラエルの宗教であるキリスト教と、プラトン哲学を頂点とするギリシャ哲学が尊重され、それ以前に存在していたエジプトの古代文明は無視されてきました。

しかし、エジプトで私が強く感じたのは、ユダヤ教やキリスト教もみなエジプトで生まれたということです。モーセの遺跡やイエス・キリストの遺跡は、エジプトにもあります。プラトンもエジプトを訪れたといわれていますから、ギリシャ哲学も古代エジプト文明の影響を受けているのです。その古代エジプト文明を近代のヨーロッパ人は無視してきた。五千年にわたる人類の文明のうち古代エジプト文明の三千年を切り離し、残る二千年だけで考えてきました。これはやはり間違っています。

キリスト教もユダヤ教もイスラム教も、一神教や終末論という、争いを激化させる思想を内包しています。それよりも、古代エジプト文明の多神教の伝統に帰ってはどうか。多神教は、平和共存の思想です。他の宗教の神様も受け入れ、神様の数がどんどん膨らんでいく。そのようなかたちで神々の共存を考える。一神教を信じる人には受け入れ難い話かもしれませんが、あえてそれを言い続けないと、世界に平和が訪れない気がします。

このように考えたとき、私は現在の日本国憲法の価値がますます高まってくると思います。日本国憲法には「人類平和」の理想が込められています。改憲派は、「現行憲法には国家観がない。現行憲法のままでは日本国を守れない」と主張していますが、これは十九世紀の国家主義の考えです。仮に憲法を改正するのであれば、その憲法ははっきり世界平和をめざすもの、九条の精神を活かしたものでなくてはいけません。

聖徳太子の「十七条の憲法」を見ると、「和を以て貴しとなす」など、平和的な立場をとっています。しかもこの憲法は、民衆に道徳を押しつけるのでなく、「裁判官は公平に判決を下さなければならない」「役人は賄賂をとってはならない」「役人は朝早くに役所へ出て、夜遅くまで仕事をせよ」などと、リーダーの道徳を説いている。これはたいへんすばらしい思想で、こうした発想に基づく憲法改正ならよいのですが、民衆に道徳を押しつけて無理やり国家動員させるような憲法改正の動きには反対です。

平和主義を貫くことが勇気ある民族　稲盛

おっしゃるように、現在の憲法改正論議には、国民の顔が見えません。国民はほんとうに改憲を望んでいるのでしょうか。やはり、ある種の覇権主義からきているように思います。アメリカに「ショー・ザ・フラッグ」といわれ、慌ててお金だけでなく、自衛隊も出せる日本にしようとしている。国家の権威や存在を示すという意味では、やはり覇権主義の一種で、これは非常に危険なことです。

現在の憲法は、第九条だけでなく前文も含めて、たいへん理想主義的な内容になっています。それに対し、「世界はそんな生易しいものではない」という声もありますが、私は前文も含めて、いまの憲法はすばらしいと思います。改憲派は「鵜の目鷹の目で日本をやっつけようとしている国家が、周辺にたくさんあるんだぞ。そんな国々の信義に期待するのか」というかもしれませんが、私はそれでも、国家間の信頼をベースとして、平和主義を貫くべきだと思います。それこそが、ほんとうに勇気ある民族のすることです。

いま格好のいい憲法改正論議が増えているように感じ、たいへん心配しています。とくに若い世代から、そういう声が出ているのが気になります。

第三部　新しい哲学を語る

第一章

道徳の復興こそ急務

少年に必要な知識は法律よりも道徳　稲盛

道徳の荒廃は、企業や社会の上層部だけでなく、少年を含め、社会全体へ拡散しているのではないかと思います。

じつは、先だって飛行機のなかで読んだ週刊誌の記事で、そのことをあらためて思い起こすことになりました。いまから十年前（一九九二年）、十九歳の少年が一家四人を惨殺する事件が起きました。その裁判が最高裁まで行き、最終的には上告が棄却され、極刑をもって臨むしかないと死刑判決が下ったといいます。

この事件の概要は次のようなものでした。少年が夕方、あるマンションに住んでいた会社役員の家に押し込み強盗に入った。おばあさんを電気コードで絞め殺し、そのあと自宅に帰ってきた夫人を包丁で刺し殺した。そして、長女を脅して夕食までつくらせ、夜帰ってきた会社役員も刺殺し、翌朝には次女の首を絞めて殺して、最後に長女の背中を切りつけて逃走したというのです。

背筋が凍るような犯罪ですが、弁護士がその少年に会ってみると、丁寧に喋るし、笑顔も見せて、まったくふつうの少年と変わらない、そのうえ頭の回転まで速いという。そして記者は、「犯行当時、その少年は、未成年は何をやっても死刑にならない、少年院に入るだけですむと思っていたようだ。つまり、誤解はあったにせよ、法律を逆手に取った犯罪だった。本人もいっていることだが、もし彼が法律をきちんと知っていたら、あの事件は起きなかったかもしれない」とまとめているのです。しかし、私はそうではないと思います。少年が知っておくべきは法律ではなく、もっと根本的な道徳とか倫理観というものであるはずです。

私は、人間は利他の心で、人様に思いやりをかけると菩薩にもなれる、逆に、煩悩のまま自由に行動すると悪魔にもなると考えています。創造主は人間に対して、肉体を守り維持するために「本能」を授けてくれました。それと同時に「自由」も与えてくれました。この自由であるということは人類の進歩にたいへん役立ったのですが、一方で本能のなかの煩悩のおもむくままに自由を振り回す人は、極悪非道な悪魔にもなってしまうのです。

つまり、人間は「自由」の使い方次第で、仏にもなり、悪魔にもなるという両面を持っているのです。すなわち、煩悩の対極にある「利他」（思いやり、優しさ）の心を自由に発揮する人は、仏にもなることができるのです。

ですから、身を守るための本能は必要であるけれども、同時に、仏の教えである「六波羅蜜（ろくはらみつ）」にあるように、「持戒（じかい）」（やってはならないという掟を守ること）や、「忍辱」（我慢すること）を通じて、「利他」の心を学ぶことがどうしても必要になります。

刑法を教える以前に、そうした道徳をこの少年に教えていれば、こんな悲惨な事件は起きなかったのではないかと思います。人間として生きるための哲学として、道徳を若い人たちにきちんと教えていけば、いまのすさんだ社会も、よい方向に向かっていくのではないかという気がしてならないのです。

道徳の不在は宗教を失ったから　梅原

いまおっしゃったような残虐な事件は最近たくさん起こっていますが、私はそういう事件を耳にするたびに、ドストエフスキーの小説『カラマーゾフの兄弟』を思い出します。カラマーゾフ家の次男イワンは、「神がなかったら善も悪もない、善も悪もなかったら人を殺してもかまわない」という思想を持っている。そして、人殺しの最たるものが親殺しです。イワンは、親を殺してもよいという思想を持っているが、実行はしない。しかし、異母弟のスメルジャコフという召使が、イワンの思想の影響を受けて父親を殺す、というのがこの小説のストーリーですが、そこには、現代の人類の姿が予言的に表現されているのではないかと思うのです。

いま凶悪犯罪を起こしている少年は、どちらかといえばふつうよりも頭のいい少年です。また大人でも、世の中でいうところの偏差値の高い一流大学の出身者で、汚職や横領などの犯罪を起こす人も多い。これは、とくにエリートをはじめとして社会全体に道徳がなくなっている証拠です。そしてその根底にはやっぱり宗教を失ったことがある。

それを危惧して、私は中学生に仏教の教えを講義したのですが、これからの教育において、日本人の心を長年培ってきた仏教の道徳を教えることがたいへん重要になってくると思います。

仏教が日本に入って千数百年が経ちますが、その仏教の道徳を日本人は近代社会のなかで忘れてしまいました。たとえば、明治国家は道徳教育の規範として教育勅語をつくり、それが「宗教の代用品」のようになり、戦前の日本人の精神を形成しましたが、その道徳は仏教はもちろん儒教でも神道でもありません。それは近代の国家主義が儒教や神道をつぎはぎしてつくった道徳にすぎません。そこには深い哲学がまったく欠如しています。

しかし、そのような道徳すら戦後の学校で教えられない。つまり、いま生きている多くの日本人は、道徳について何も教えられていないのです。その結果、かりに欲望を抑えることができたとしても、それは出世のためであって、いい学校を出て、官庁や大企業に入ったら、欲望の虜になってしまうのです。いま日本でいちばん恐れるべきことは道徳の不在にあると思います。

宗教が説いた道徳観は教育勅語の比ではない　稲盛

まさにそのとおりですね。私は仕事で三十歳にも満たないような中央官庁の若いエリート官僚に会うことがあります。本来、その年齢ならもっと純真さや謙虚さがあってしかるべきなのですが、彼らが五十、六十歳の年上の人間を見下すような態度をとることがあります。「自分は頭がいい、選ばれたエリートなのだ」といわんばかりの素振りをする若手官僚に接すると、私は空恐ろしい感じがします。「頭のいいことがすべてに勝る」という価値観だけで生きてきて、事の善悪も、道徳も、何も知らない。そういう人たちが出世して、汚職でも横領でも何でも平気でやってしまう。しかも、権力を持っているだけに隠蔽ができる。ところが、それができなくなり、不祥事がわれわれの前にいま露呈しているのだと思います。

また、いま梅原先生がおっしゃった教育勅語についてですが、「宗教の代用品」というのはじつに的確な表現だと思いました。最近、教育の危機を叫ぶ方々の一部に、「もう一度、教育勅語を現代によみがえらせるべきだ」と主張する方がおられます。しかし、私は「なぜいま教育勅語なのか」と不思議に思うのです。昔からある儒教や仏教、キリスト教などの宗教が説いた道徳観の素晴らしさは教育勅語の比ではないからです。

教育勅語というのは、明治時代に廃仏毀釈によって仏教など宗教の力が弱まり、庶民の心の規範がなくなったため、その代用品として仕方なく生まれたものでしょう。その、わずか百年ほど前につくられた代用品をいままた持ち出すことはないのではないでしょうか。むしろ、さまざまな宗教が二千年以上かけて培ってきた素晴らしい倫理観、道徳観を二十一世紀に適用できるようなかたちでまとめ直せば、もっと立派なものになるはずです。

教育改革より道徳の教科書をつくれ　梅原

江戸時代では、武士の道徳の規範は主に儒教でした。塾で孔子や孟子の教えをきちんと習い、そのうえで実用的な学問を学んでいました。一方、庶民においては、まず仏教の教育を受け、それから読み書き算盤を覚えた。このようなかたちで道徳を養ってきたのです。その日本人を見て、小泉八雲（ラフカディオ・ハーン）はびっくりするわけですね。道徳性が非常に高い、素晴らしい国民だ、こんな国はどこにもないと。

その一方で、小泉八雲は、日本が近代化することによって、これらのいい伝統を失ってしまうのではないかと心配しています。実際に日本は近代化の過程で廃仏毀釈をやった。とくに仏教に対して厳しかった。

日本は戦後、道徳を子供たちに教えてきませんでしたが、これを遡れば、明治の廃仏毀釈に行きつくでしょう。廃仏毀釈とは宗教の否定です。廃仏毀釈というと、仏教だけを捨てて神道を奨励したように思われていますが、あれは神道も否定しています。結局、天皇という神様だけを残して、あとの神様はすべて否定したのです。そうして宗教を否定し、神様を殺すことで、日本は近代化が可能になったのではないでしょうか。そのツケが、いまきているのです。

しかも、宗教を否定したうえでつくった教育勅語は、天皇の側近だった儒学者の元田永孚(もとだながざね)が、儒教の道徳を近代的な国家主義の道徳、つまり忠君愛国を奉じる道徳に焼き直して書いただけの平凡なものなのです。だから「朕惟(おも)うに我が皇祖皇宗……」というように、心に響いてこない言葉が羅列されている。

伊藤博文は、ほんとうはもっと近代的な道徳をつくりたかったはずです。しかし、教育勅語をつくったのは山県有朋(やまがたありとも)内閣でした。また、初代文部大臣の森有礼(もりありのり)は開明的な人物で、小学校令、中学校令、帝国大学令、師範学校令を公布して学制改革を行い、近代学校制度を定めた。ところが、教育勅語が発布される一年前に暗殺されてしまう。そんなこともあって、最終的に近代的道徳と逆行するような内容になってしまった。

これは日本の思想上、たいへんなマイナスになったと思います。イギリスの哲学者バートランド・ラッセルも、天皇の教えだといって、それを批判できないような社会は、近代社会ではないといっています。

仏教でも儒教でも神道でも、千年以上の歴史の試練をくぐってきていますから、教育勅語とは深みが違うのです。教育勅語には仏教はもちろん儒教の思想もほとんど入っていません。たとえば江戸時代の日本の儒学は朱子学が中心でした。朱子学は「格物致知（かくぶつちち）」ということをいいます。それは物に即した合理的な知性を大切にします。こういう知性を大切にする朱子学を忠の徳一辺倒の思想にするのはたいへんな間違いです。それは儒教でもなく神道でもありません。神道は一木一草に神を認めます。しかし教育勅語で神とされるのは天皇のみです。もちろんキリスト教とは一八〇度相反する道徳です。ですから私も、教育勅語を復活させるのではなく、既存宗教のよいところを集めて、民主主義にふさわしい新しい道徳をつくり直すべきだという稲盛さんの意見に賛成です。

人間として最低限必要なルールを子供が知らない　稲盛

一つ指摘しておきたいのは、その道徳の代用品のような教育勅語が悪しきナショナリズムに悪用されたために、戦後になって道徳論を持ち出すと、思想をコントロールしようとしているのではないかと、一般の人々に受け取られるようになってしまったことです。そのため、道徳、宗教というと無条件に反発する人が多くなってしまった。われわれが持つべき思想は自由であるべきで、また何か押しつけようとするのではないか、といった拒否反応が出てくるのです。戦前の思想統制が心底身に沁みているのですね。

しかし、人間として最低限の持つべきルール、また人間のあるべき理想の姿は、やはり教育の場で教えてもらわなければいけません。それを知ったうえで、大人になって破棄するのは自由かもしれません。ただ、子供たちがそれを知らない、一度も教えられていないということが大きな問題だと思うのです。人間が人間であるための最低条件を誰かが教えなければ、社会はさらにおかしなことになります。

最近は幼稚園でさえ、個性や自主性のある子供を育てますなどといって、自由を尊重するあまり、物心もつかない子供たちを放任しています。それでは、人間として最低限必要なルールも知らない人間を量産することになってしまいます。

大切なのは「十七条の憲法」の精神　梅原

いま保守的な政治家も、道徳教育というとすぐに日の丸、君が代を持ち出すでしょう。そうすると、それに対して日教組（日本教職員組合）が猛反発し、そんな道徳教育は不要だということになるんです。もちろん、戦前の教育勅語を中心とした道徳教育は間違っている。しかし、日教組の道徳教育否定も間違っている。

じつは日教組も道徳教育を否定したら現場が困るんじゃないかということはわかっていると思

うのです。生徒が先生の話を聞かず、授業中に騒ぐのは、やはり子供たちの道徳心が欠如しているからだとわかっているはずです。だから、人間が社会のなかで生きていくためには何が必要かということを、釈迦も孔子もキリストも説いてきたわけだから、それを教えればいいんです。そのとき大切なのは、聖徳太子が「十七条の憲法」をつくったときの精神です。あれは仏教だけじゃなく、儒教の道徳も加わっている。

それと同じように、日本人がいままで親しんできた仏教はもちろんのこと、儒教も神道も道教もキリスト教も回教も、いいところを取り入れて、人間として生きる道を示す道徳の教科書をつくるべきです。

その教科書を使って、先生は子供たちに、「これが人間として最低限必要なルールです。これを知らないと社会で生活できません」といって教える。早急にこれをやらないと、日本の将来は危ないんじゃないかという気持ちが強いのです。

道徳を教えない先生も道徳を失った　稲盛

おっしゃるように、私も道徳と日の丸、君が代を結びつけることには反対です。同時に、道徳教育全面否定論にも反対です。いまや日教組は組織を維持するだけでも大変ですが、それも元をただせば、道徳教育を否定したからではないかと思うのです。生徒に道徳を教えない先生自身が道徳を失った。そのため、組合員としての自覚も失い、組織が機能しなくなってしまったのではないでしょうか。

野生の動物の世界を見ても、規範となるルールがあり、長幼の序もしっかり決まっています。その規範を犯すものは厳しい制裁を受ける。それは、長い年月をかけて動物たちが獲得してきた知恵なのです。種の存続のために守らなければいけない掟があるのです。それを犯すと、種の断絶の危機に陥るかもしれない。だからこそ、ルールが決まっている。

人間の社会でも、そうした最低限のルールを教えなければ、秩序は守れなくなります。人間を本能のまま欲望のまま、自由に放置したら、種そのものの存続も危うくなるでしょう。

日本国憲法と対になる道徳の必要性　梅原

いまの日本人はもう一度、道徳心を取り戻す必要があるように思います。道徳心や宗教心といったものがないと、私心なく行動することもできないでしょう。宗教というものを考え直して、新しい民主的な道徳をしっかり立てる。それが日本の思想家の大きな課題だと思います。

そこで私は、昨年（二〇〇一年）、仏教の講義を行った中学校で、今年は道徳の講義をしました。戦前の日本には大日本帝国憲法があり、その対の存在として教育勅語がありました。これが当時、国民の道徳教育となっていたのです。ところが戦後の日本国憲法では、対になる道徳がつくられていません。仏教を基本として、そこに神道や儒教やキリスト教も入れる、そんな道徳を今年は中学生たちに講義しました。もっと思想的に豊かで、かつ伝統に則った道徳を、日本人が自分の力でつくりださなくてはなりません。その先駆けとなる仕事を、私はしたいのです。

もっとも、道徳を講義するには、自分がある程度立派な人間でなければならないでしょう。私は、私の人生を省みて、必ずしもよいことばかりしてきたとは思いませんので、その任ではないという反省はありますが。

恋心も認める、明るくおおらかな道徳を　稲盛

立派な人間にしか、道徳を教える資格がないというのではないと思います。完璧な人などいないのですから、道徳に対して、「そうありたい」と思うだけでいいのではないでしょうか。それでも、「そうありたい」と思いながらも、それをいつも破ってしまうのが人間です。いまいちばんの問題は、「そうありたい」と思う人さえいなくなってしまったということです。

日本では戦後、子供たちに道徳や倫理といったものを教えてきませんでした。そのことが、戦後五十年以上経った現在の日本に、大きな傷痕を残しています。

幼児教育も含めて、いま日本ですぐに道徳教育を始めたとしても、その子供たちが大人になるには、二十年は待たなければなりません。その間、日本人の倫理面での空洞化が続くと考えれば、もう一刻の猶予もない気がします。ですから梅原先生には、いまおっしゃった仏教の再認識をはじめ、ぜひとも道徳教育再興の先頭に立って、がんばっていただきたいと思います。

ただ、道徳というと、戦前のイメージを引きずり、どうしてもストイックな内容を考えがちで

す。たしかに、人間として最低限、守らなければならないことは明確にすべきですが、明るく、おおらかな、二十一世紀の世界に通用する道徳を確立していただきたいと思います。

たとえば、男性がきれいな女性を見てハッとし、「あんな人から好かれたい」と思うのは、ごく自然な感情です。それを劣悪な感情として、かつての修身のように無理矢理押さえつけることは、人間らしくありません。そうではなく、そのような恋心は、むしろ自分を高めてくれるものだとあえて認めるような道徳であってほしいと思います。

梅原先生には、子供たちにどんどん道徳を説いていただいて、それがまとまれば、今度は社会的な道徳復興運動みたいなかたちに盛り上げていってほしいと思います。先生に理論武装をしていただいた内容を、われわれが協力して社会に広げていく。そんな運動をやれたら、ずいぶんおもしろいことになるでしょう。

現代の道徳復興運動の担い手　梅原

稲盛さんがいわれた道徳復興運動に近いことをしているのは、瀬戸内寂聴さんでしょう。以前、寂聴さんから「先生と私が組んだら、一〇〇〇万人ぐらい信者ができるわよ」などと冗談をいわれましたが、実際、彼女には信者がたくさんいます。

寂聴さんの偉いところは、御説教をしてもほとんどお金を取らないことです。宗教界でそんなことをしているのは、いまはもう寂聴さんぐらいでしょう。仏教には煩悩がそのまま菩提であるという言葉があります。愛欲の煩悩の強い人ほど美しい悟りの花を咲かせることができるという意味ですが、寂聴さんを見ていると、その言葉がウソではないことを感じます。

良心の存在が感じられない政治家たち　稲盛

私が梅原先生の道徳論に興味を持っているのは、良心について、もっと掘り下げて考えたいからです。よく「良心に訴えて」とか「良心に誓って」などというように、「良心」ということに道徳のすべてが詰まっているように思うのです。

もちろん、われわれには、「ウソをついてはいけない」「人を傷つけてはいけない」など、幼いころに教わったプリミティブな道徳があります。それがあるとき、良心というかたちで出てくるのではないでしょうか。「良心の呵責に耐えかねて白状した」などというのは、その典型でしょう。この「良心」とは何かということを、もっとつきつめて考える必要があると私は思います。

いま「良心」が最も感じられない人たちといえば、政治家でしょう。テレビなどでの発言を見ていて思うのですが、昔ならありえなかったであろうことを、いまは平気でいうようになっています。たとえば、自民党が問題を起こしたとき、昔なら厳しく追及していたはずの政党が、いまは「連立与党の枠組みを壊すわけにはいかない」などといって、あえて自民党の非を肯定する側に立っている。

みんな権力に近づくと、手のひらを返したように言動が一変するのです。こういう姿を見ていると、この人たちには果たして「良心」があるのか、疑問に感じることが多いのです。いまや「良心」を心の内に抑え込んで、のっぺらぼうみたいに知らん顔ができる、破廉恥な人でなければ、政治家になれないようにさえ見えます。

政治家がこんな状態では、国民に道徳教育を行うといっても難しくなります。やはり政治家には、国家のリーダーとして、政治だけでなく、道徳面でも範を示してもらう必要があります。ただし、道徳を説く人が聖人君子である必要はありません。道徳を守りきることはできないけれど、道徳を大切に思い、守りたいと思っていることこそが大切なのです。

ところがいまの政治家は、何か責められたときに、自らを振り返り反省するのではなく、責任逃ればかり考えています。そうではなく、もし何か問題があれば、正直に非を認め、潔く辞職する。これができれば、たとえいったん間違いを犯したとしても、その態度は評価されると思うのです。

道徳教育の基本は私心のない母心　梅原

私はカントの哲学が好きではないのですが、その理由は義務でがんじがらめに縛られているからです。そしてこれは、日本の戦前の道徳とどこかで結びついています。カントのリゴリズム（厳格主義）と教育勅語の直立不動の姿勢は、どこかに共通点があります。カントはたいへん立派な哲学者ですが、道徳というのは、もっと明るいユーモアのあるものでなければいけません。

道徳の基本は、親心にあると私は考えています。親、とくに母が子供を育てる気持ちです。つまりは「利他の心」で、これはすべての動物のなかに、すでにあるものです。この「利他の心」を育てることが重要なのです。

人間はとくに欲望の強い動物ですから、利他という点では他の動物より、かえって劣っているところがあります。その欲望を抑えて、ちゃんと「利他の心」が発揮できる道徳をつくりたいのです。こうした道徳は、もともと仏教が伝統的に持っているものです。それをいまこそよみがえらせたい。

そこで中学校での講義を始めたのですが、教えるにあたって有効なのは、具体的なエピソードを話していくことでしょう。正直の徳を教えるなら夏目漱石の『坊っちゃん』、忍辱の徳を教えるなら『忠臣蔵』、生きとし生けるものを大事にする気持ちを教えるなら宮沢賢治の童話といった具合です。

さらには文学作品だけでなく、私自身の体験も含めて教えていきたい。母心を教えるなら、やはり自分の母の話をしたいと思っています。母は結婚する前に私を身ごもったのですが、私を産むころは、すでに結核にかかっていました。医者から「この子を産んだら、あなたは死にますよ」といわれていた。それでも私を産んでくれたのです。自分を殺してでも、私をこの世に誕生させたかったのでしょう。

医者の忠告どおり、母は私を産むとまもなく亡くなり、私は伯父伯母のもとで育てられました。伯母もまた、私を実子同様、非常にかわいがってくれました。この二人の母がいなければ、私はとても生きていくことができませんでした。私が生きてこられたのは、二人の母に「利他の心」があったからです。そんな「利他の心」を受けて私は大きくなったのですから、私のなかに、「これを世間に返したい」という気持ちがあるのです。

そう考えると、母心というのは、洋の東西を問わず、道徳の基礎なのです。仏教でいえば観音崇拝ですし、キリスト教でいえばマリア崇拝です。キリスト教というと、イエス・キリストへの崇拝ばかりいわれますが、マリア崇拝も強いのです。仏教でも観音は、女性の愛を象徴しています。やはり道徳を教えるなら、ここから始まると思います。

何でも許す寛容な神だけでは道徳は守れない　稲盛

そして、いまの時代にうってつけの道徳をあらためて打ち出したら、次はそれを頑なに守ろうとすることが大切です。たとえ守りきれなくても、守るためにはどのような〝補強〟を心に施せばいいのか、それを考えることも重要だと思います。

従来、われわれの心を規制していたのは、キリストの教え、お釈迦様の教え、マホメッドの教えなど、いろいろな宗教でした。しかし、いまやその人々の心を規制していたはずの神が、非常に寛容になっています。

もし、神が道徳や戒律を守らなくても許してくれるとすれば、どんな道徳を提示されたところで、それを守ろうとする力は弱くなるはずです。たとえば、信心深いカトリックの信者にとっては、踏み絵は命を懸けてでも踏んではならないものです。こうした融通のきかない頑なな神であるからこそ、思想は守られるのです。

教えに背（そむ）くことがあっても、時と場合によっては許してくれる、優しく寛容な神ではなく、少しでも逸脱したら怒りをもって制する。そんな厳しい神がいなければ、どんな立派な道徳を教えても、最後は自分の身を守るため、自分の一族を守るため、自分の立身出世のために、道徳を守らない人が出てきます。

たとえば「教授になるためには、自分のなかの信念や道徳にもとることをしなければならない」というとき、「生きるための方便として、少しぐらい不正をしてもいいだろう。お釈迦様も、方便は大事だと説いておられる」などといって、許してしまうのです。それでは、未来の社会は暗澹たるものになってしまうでしょう。

「サムシング・グレート」という表現があります。ノーベル賞をもらった、ある科学者が言い出したことだそうですが、日本では筑波大学の村上和雄名誉教授が使っておられます。これは、一般にいわれている特定の神とはニュアンスが違い、「何ものかはわからないけれども、偉大なる存在」という意味で、宇宙をつくった創造主だとも考えるわけです。

ところが、われわれ現代人は、自分たちの心をコントロールする、その「サムシング・グレート」を、非常に寛容で慈悲深いものだと解釈して、都合よく変えてしまいました。そのため守らなければならないはずの道徳や哲学も、守らなくても許されると思うようになってしまっているのです。この「サムシング・グレート」をかつてのような厳しいものと捉え直し、われわれの頭上に据える必要があると思います。

戦前の教育勅語が強制力を持った理由　梅原

それは教育勅語のプラス面とマイナス面にも通じます。日本の近代化というのは、廃仏毀釈の上に成り立っています。明治期の日本は、仏教と同時に神道も排斥しました。神道というのは、自然の素晴らしさ、恐ろしさを教え、怨霊を祀(まつ)ることの大切さを教えています。その神道を排斥して、天皇一族だけを神と仰ぐ国家神道に変えてしまったのです。

そこには多くのマイナスもありますが、プラスの面もあります。天皇という絶対の中心を持つことによって、日本は力を一つに集中することになりました。西欧諸国に追いつくには国力を集中する必要があります。そういうプラス面もありますが、もう一つ、道徳を勅語にすることによって強い強制力を持つことができました。もし教育勅語が、ただ民衆の一人がつくった道徳というなら、強制力を欠いた、非常に寛容なものになっていたでしょう。

ところが、戦後の日本から国家神道は消え、教育勅語も教えられなくなりました。そして日本全体は、民主的な気分に包まれました。寛容なものが規制力を持たないのは、おっしゃるとおりです。

そうしたなかで、規制力を持つ道徳をつくることは非常に難しい。理性によって、守ることの必要性を納得できる人もいますが、納得しない人もいます。また理性で納得しても、誰しも欲望がありますから、肝心なときに行動の目安にならないというのも、おっしゃるとおりでしょう。

それでも私は、少なくとも小中学校の時期に道徳を教えたなら、多少は違ってくると思うのです。だからこそ、私は道徳を教えるには石田梅岩の心学を参考にすべきだと思います。

石田梅岩は江戸時代の庶民に向けて道徳を講話し、多数の門下を生み出しました。この石門心学も、基礎になっているのは仏教や儒教の教えです。それを梅岩は民衆の世界に向けて、見事に説き直しました。だからこそ、多くの支持を得ることもできたのです。庶民や子供たちにわかりやすく伝える、心学のような知恵がいま求められている気がします。

「要領の悪い生き方」にも必ず賛同者は出てくる　稲盛

小さいときから道徳を教えても、その効果はわずかなものでしかないのかもしれません。それでも、そのわずかなことが、大きな違いになるのでしょう。そのような活動を地道に続けることが、いまは大切になると思います。

いまの日本人には、道徳の基本的な部分がわかっていない人が多いように思うのです。先日、ある経営者から悩みを聞かされたときも、そんなことを感じました。

彼は、かつて大企業に勤めていたのですが、何年か経験を積んだのち、自分の理想を実現しようと、出資を募り独立を果たした人です。

最初は赤字続きで、なかなか経営がうまくいかず、会社が潰れそうになってしまったそうです。ところが、その出資者が増資に応じてくれ、なんとか持ち直すことができたといいます。この増資によって、その会社の株式の過半数を出資者が持つようになりましたが、引き続き彼が経営を行い、苦労を重ねて、ようやく軌道に乗りだしたそうです。

ところが、そのころから、出資者がいろいろ口出しするようになったというのです。「過半数の株を持っているのだから、この会社は自分の会社だ」といわんばかりに、経営者を無視して、好き勝手に会社を動かそうとしている。しかも彼がいうには、この出資者はガリガリ亡者で、カネのためなら何でもする、「利他」の精神からはほど遠い人だそうです。

一方、彼は、盛和塾（若手経営者のための経営塾）で私の講話を聞き、「利他」の大切さを知っていますので、とてもガリガリ亡者である出資者とはつきあえない。会社を辞めて縁を切りたいのだけれど、その出資者が辞めさせてくれない。しかも新しい仕事まで押しつけられて苦しんでいる。そんな悩みを話してくれたのです。

しかし、私にいわせれば、そもそもその経営者の言い分のほうがおかしいのです。会社を興すとき、一部なりとも資本金を出してくれたのですから、彼にとっては恩人です。さらには、会社が潰れかかったときに、増資までしてくれたことを思えば、大恩人といってもいいはずです。ところが彼の話のなかには、この出資者に対する感謝の気持ちが一つも出てきません。出資者が「自分の会社だ」とばかりに振る舞うことだけを取り上げ憤っています。

つまり、たいへんお世話になっている出資者について否定的なことばかり並べ立てる。これは、自分自身が利己的なことばかり考えているから、周囲の人間すべてが同じように見えるのです。

自分自身が、ほんとうに「利他」の精神に目覚めていれば、お世話になった人への恩返しを、まずは考えるはずです。そんな美しい心で見れば、周囲の人も違って見えるはずです。出資者の人も、もともと悪い人ではないのかもしれません。ただ、経営者であるその人が、利己の目で見るから、相手も利己の人間に見えるのです。

そんな問答を、経営者たちが何百人か集まる場で行いました。これはその人に限った話ではありません。同じように、知らず知らずのうちに利己に陥っている経営者は、じつに多いのです。そうして社会がどんどん悪くなっていくのです。

だからこそ、いま梅原先生がおっしゃったように、「こういう生き方をしようではないか」と、人々にあらためて生きる規範を示すような道徳を再構築する必要があるのです。いま道徳や哲学といっても、世間では一笑に付すだけかもしれません。しかしまた、頑なに道徳を守ろうとする人が出てくれば、同調する人はたくさん出てくるはずです。どんなに反対する人が多くても、その対極には必ず賛成する人もいるはずです。そうして世の中を、少しずつでも明るくしていくことが大切だと思います。

本来、こういうことは宗教家がやるべき仕事なのでしょうが、いまはそれにあまり多くを期待することができないとすれば、梅原先生が子供たちに新しい道徳を説こうとされていることを、ぜひ本などにされて、もっと広く世間に問いかけていただきたいと思います。

多くの人は「そんなことを金科玉条のごとく守ったのでは、世渡りはうまくできない」というかもしれません。しかし、要領悪く、本音で生きる生き方があってもいいと思います。そうすれば、「梅原先生のつくった道徳を守ろうじゃないか」という人が必ず、先生の後ろに続くはずだと私は思います。

そのような要領の悪い、損な生き方をあえて自ら選択する集団をつくって、大きな運動にまで高めていくことができれば、それはたいへん意義深いことだと思いますし、これこそ世直しのための最善の方法なのかもしれません。

第二章

働く意義と「利他」の精神

働く目的は心を磨き人間性を高めること　稲盛

いま、労働というのは生きるための糧を得るためのものでしかなく、なるべく労働時間を短くして、「楽をしてたくさんお金をもらえればいい」と考える人が増えています。人生にとっていちばん大切なことは、教養を磨くとか、趣味を楽しむとか、社会的な活動をすることであり、労働時間はできるだけ少なく、収入は多ければ多いほどいいというのです。

そのような考え方を、いまは学校の先生さえ持つようになってきました。

たとえば、私は八時間分以上の賃金はもらっていませんからと、子供の悩みを聞くために放課後までつきあったり、家庭に出向いたりするなんてとんでもない、「労働は時間の切り売りだ」「自分は教育産業という分野に従事する職業労働者だ」という価値観を持って子供たちに接している。

私は、そもそも人間が働く目的とは、報酬を得るためだけではないと考えています。人生の目的は人間性を高めることであり、働く目的は、その自分の人間性を高めることであると信じています。

生涯を通じて、つねに人間性を高める努力をしていかなければ、人間は堕落してしまうことでしょう。悲しいかな、それが人間なのです。義務教育の段階で子供たちにこのことを教え、生涯を通じて人間性を高めることに関心を持つようにしなければなりません。

では、生きるなかで人間性を高めていくには、どういう方法があるのでしょうか。それには哲学などの勉強をすることも有効でしょうが、もっと確実に心を高める方法があります。

私は、それが「労働」だろうと考えています。働くということは、人間性を高める、人間を錬磨するということについて、最も基本的で、最も有効な手段だと思うのです。

仕事を通じて努力を重ねてきた人が、素晴らしい人間性を身につけたという実例は、洋の東西を問わず数多く存在します。伝記などを通じて、世の偉人たちがどのようにして素晴らしい人間性をつくりあげてきたのかということをみると、そのほとんどが、努力を惜しまず、辛苦を重ねながら、仕事を通じて身につけたということに行き当たるはずです。その最も典型的な例が二宮尊徳だと私は思います。

二宮尊徳は、一介の農民でありながら、農村復興に尽くし、その業績が認められ、幕府に登用されるまでになりました。そして登城したとき、その立ち居振る舞いは貴人のごとくであったといいます。彼は、誠実かつ懸命に働くなかで、素晴らしい人格を築きあげたのです。

そのようなことにもかかわらず、日教組は戦後教育で、労働を生活の糧を得るための手段として位置づけてしまいました。私は、このことは人間性への冒瀆であり、また人間の堕落を生む温床にもなったのではないかと思います。教師という職業が聖職であるかどうかはともかく、教職員自らが生徒を教えていくという仕事を、「自分が生活をするための糧を得るためのもの」とか、「時間の切り売り」と位置づけして仕事に従事してきた、このことが根本的な問題ではないでしょうか。そのような労働観から生まれてくる教育活動が、子供たちにもたいへん悪い影響を与えてきたのだと思うのです。

素晴らしい可能性を持った子供たちに教育を授ける仕事というのは、もっと崇高なものであって然るべきなのに、それを日教組がおとしめてしまった、このことこそが今日の教育の荒廃を招いたのです。

あらためて教育の場で、労働の価値を見直すべきときであろうと私は考えます。たんに生活の糧を得るためだけではなく、人間性を錬磨し、人間性を高めていくために「労働」に従事する、その準備段階としての教育、そのような考え方を前面に押し出した教育がなされるべきです。

この人間だけに与えられた、人間性を高めるという特権を、教育の基本に据えることが、いま何としても必要だと強く思います。

お釈迦様も、このことを、「六波羅蜜」のなかで「精進」（一生懸命に働くこと）として説いておられます。また、働くということは、本来たいへん忍耐を伴うことです。これも同じく、「六波羅蜜」のなかで「忍辱」として説かれています。このようなことを通じて、人間は成長していく。つまり、働くことは、心を磨くことであり、人間をつくるうえで最も大切な要素であるのです。

そう考えれば、「働く時間をなるべく少なくして、楽してお金を稼ごう」という最近の風潮は、人間性を高めていくという、労働が本来持っている崇高な意義を捨て去り、人間を成長させる貴重な機会を、われわれから奪っていることになるのです。

イチロー選手の「精進」と「禅定」　梅原

「精進」についていえば、他人が見ていようが見ていまいが、コツコツ努力することが大切ですね。たとえば、シアトル・マリナーズ（当時）のイチロー選手を見ていますと、意識的か無意識かは知りませんが、きちんと仏教の道徳を身につけています。つねに精進しているのです。

さらにイチロー選手は「禅定（ぜんじょう）」をも行っています。禅定というのは集中することです。イチロー選手はたいへんな集中力によって、どんな球がきてもパッと反応する。だから、ヒットが量産できる。彼は、仏教の教えを野球という仕事を通して実践し、人間を磨きあげていると感じます。

『般若心経』に「般若波羅蜜多」という言葉がありますが、これは観自在菩薩（大乗仏教で最も重要な仏）の深い知恵「五蘊（ごうん）はみな空（くう）である」という意味です。世の中のことはすべて空であるから、一切のこだわりを捨てる。そういうこだわりのない知恵がほんとうの知恵であるということです。イチロー選手は球場に行くときも帰るときも必ず一人で車を運転するそうです。つまり、心を空にして、こだわりを捨てて野球をやっている。それもまた仏教の教えを実践しているとしかいいようがありません。

名人になった人は「精進」を怠らない　稲盛

イチロー選手は、小学生のころにすでに、将来は大リーガーになると公言していたといいます。そして、そのころ書いた作文には、一年のうち三百六十日、つまりほとんど休むことなく、素振りをしていたことが記されています。

遊びたい盛りの子供のときから、黙々と陰日向なく練習を積んできた。だからこそ、大リーガーになるということもいったのです。また、あの類いまれな集中力も、そのようにして一生懸命練習を重ねるなかで培われたものなのでしょう。

高校時代には、「ヒットを打てといわれれば、いつでも打てます」と豪語していたという話もあります。これも、聞きようによっては傲慢に聞こえるでしょうが、本人からしてみれば、それだけの練習、つまり「精進」を積んできたのだから当たり前のことをいったにすぎなかったのです。

彼は、まさに人間としても本物だと私は感じます。平凡な人間が非凡な人間に変わっていくには、このようにコツコツと地味な努力を重ね、「精進」を続けていくしかないのです。どんな分野でも、名人になった人で、この「精進」を怠った人はいません。

本来、労働は苦痛であるのかもしれません。ただ、その苦痛を耐えていくところに喜びが生まれるのです。苦しい労働が終わったときの喜びはひとしおですし、ましてや目標を達成したときの喜びはたとえようのないものです。日本、あるいは東洋の人たちは、このようにあえて苦しいことを耐え忍んでやるということのなかに、人生の意義さえ見出していたようにも思います。

天皇も稲作と養蚕をなさってきた　梅原

私は労働ということを考え直す必要があると思います。マルクスの労働観では、資本主義における労働は資本家によって搾取されていて、価値が還元されていない。しかし社会主義社会ができれば、すべてその価値が労働者に還元されて、労働が楽しくなるというものです。しかし、社会主義社会ができても新しい特権階級が生まれ、労働の価値は労働者に還元されず、労働はいっそう楽しくないものになり、たいへん非効率なものになりました。マルクス主義の労働観は間違っています。

しかし、いまの日本の資本主義の労働観も間違っていると私は思います。とくにここ数年はグローバリズムの風潮が盛んになって、アメリカ流経営がブームになっています。そのせいか、日本でも、経営が苦しくなるとすぐに社員のクビを切る会社が増えてきました。その労働観を支えているのが新古典派の理論なのです。人間というのは怠けるのが本能である。だから、労働は苦痛である。その苦痛に対する代償として賃金を与えるという考えです。そうすると、クビを切っても、苦痛から解放して楽にしてあげたという理屈になる。このような価値観でアメリカの経営者は平気で社員のクビを切るのです。

このような労働観を持つ資本主義社会がいつまでもつかどうかは疑問です。私は社会主義社会が崩壊したとき、今度崩壊するのは資本主義社会ではないかといって世の人をびっくりさせましたが、いまそのような崩壊が始まっている気がします。それは労働観が間違っているのです。

しかし、日本人にはまだどこかに日本人特有の労働観が残っています。労働には苦しいこともあるけれども、楽しいこともある。労働を通して自分の誇りや生きがいを見つけ出せると考える人も多い。そのような価値観が残る社会で簡単にクビを切られた人は、自らのアイデンティティを失ってしまう。最近は失業者がたいへん増えていますが、アイデンティティを失った人が増えると、社会は殺伐とした雰囲気になってしまいます。

私はいま一度、労働について考え直すべきだと思います。新古典派の労働観は間違っているという気がして仕方がない。日本人は特有の労働観を大切にすべきなのです。

われわれの祖先である縄文人は素晴らしい土器をつくりましたが、私は、彼らはそれを喜んでつくったのだと思うのです。土器づくりの背景には、宗教があり、芸術があった。彼らにとって労働は苦しいこともあるけれども、楽しくやりがいのある行為だったと感じます。このような労働観は西洋と異なります。

たとえば、『古事記』を読みますと、天皇も稲作という労働を行っておられる。百人一首の第一番の歌は、天智天皇の「秋の田のかりほの庵の苫をあらみわが衣手は露にぬれつつ」という歌です。歌の意味は「仮の庵を建てて秋の田を守っていたが、その庵を葺いた苫の目が粗いので、中に居る私の袖も露に濡れてしまった」というものです。実際に天皇がそういうことをされたかどうかはわかりませんが、それは日本人の労働観の基本を明らかにした歌です。

皇后陛下にお目にかかったとき、「私どもは宮中で養蚕をしています」とおっしゃっていましたが、天皇も皇后も『古事記』の時代から稲作と養蚕をなさっているのです。

一方、西洋の場合、古いメソポタミアの文章を読むと、「神々は労働が嫌いだから人間をつくった」と書いています。ですから、労働は苦痛だということが基本になる。日本では、労働は苦痛ではなくて、そこに人間としての喜びがあり、誇りがあり、そして稲盛さんがおっしゃるように、労働を通して人間性が磨かれていくということだと思うのです。

宮沢賢治が花巻農学校の教師を辞めたあと、農耕に従事するかたわら「羅須地人協会（らすちじんきょうかい）」というものを設立しました。昔は、労働そのもののなかに宗教や芸術があったのに、いまや労働は苦しいだけの仕事になってしまった。そして人間は宗教よりも近代科学を信じるようになった。そこで賢治は労働と芸術と宗教が一体となった新しい生活を始めようと「羅須地人協会」を設立するのです。いわば、土に生きる明るい農民たちの理想郷を建設しようという試みでしたが、理想が高すぎて数年で挫折します。しかし、賢治は、人間社会のあるべき姿を見通していたといっていいでしょう。

「世界が全体に幸福にならないうちは個人の幸福はあり得ない」というのは賢治の有名な言葉ですが、賢治のような試みを通して、道徳というものがよみがえるのではないでしょうか。

「儒教はお米屋」「法家は薬屋」「仏教は百貨店」　稲盛

私は昨年（二〇〇一年）、中国の天津市長主催の経済フォーラムに招かれ、現地の共産党幹部や官僚、そして経営者の前で講演をしたとき、中国革命の父である孫文の言葉を引用しました。孫文は、一九二四年、神戸市を訪れ、「西洋の物質文明は科学の文明であり、武力の文明となってアジアを圧迫している。これは中国で古来いわれている『覇道』の文化であり、東洋にはそれより優れた『王道』の文化がある。王道の文化の本質は道徳、仁義である。あなたがた日本民族は、欧米の覇道の文化を取り入れていると同時に、アジアの王道文化の本質も持っている。日本がこれからのち、世界の文化の前途に対して、いったい西洋の覇道の番犬となるのか、東洋の王道の干城（盾と城）となるのか、あなたがた日本国民がよく考え、慎重に選ぶことにかかっている」という講演を行ったそうですが、私はこの言葉を引いて、さらに次のように続けました。

「残念ながら、日本はこの孫文の忠告に耳を貸さず、一瀉千里に覇道に突き進んでしまいました。必ずや将来、経済大国となり強大な軍事力も身につけられるであろう中国には、ぜひ自らがいままで否定してこられた、この覇権主義に陥ることなく、古来中国の人々が大切にしてきた、『徳をもって報いる』という考え方、つまり王道に則った国家運営、経済活動を行っていただきたい。日中両国はもちろん世界各国がそのようにして、互いに驕ることなく、つねに謙虚に、相手のことを思いやっていくことで、いままで以上に友好的で建設的な関係を構築することができるのではないか」と講演を結びました。

さすがだと思ったのは、そんな私の話に対して中国の人たちが、総立ちで万雷の拍手を送ってくれたことです。彼らは、「よくぞ革命の父であるわれわれの先人の話を引いて諭してくれた」といってくれたのです。

このシンポジウムの直後にも、中国の貴州省という西部大開発の対象である地域を訪れ、講演を行いました。そのときは、現地の経営者の人たちに向かって、「中国の儒教や仏教から私が教わったことですが、たんに儲かればいいという考えでは、企業経営において成功は持続しません。欲望のおもむくまま奔放に経営を行えば、一時的には成功するかもしれないが、長続きせず、必ず没落していきます。企業経営にも強い倫理観や道徳が必要なのです」ということを話してきました。

聴衆の人たちは、文化大革命のときに儒教や仏教などの宗教をすべて否定した世代なのですが、らんらんと目を輝かせて私の話を聞いてくれました。そして講演終了後、貴州省の副省長が空港まで送ってくださったのですが、帰り際に、「たいへん感銘を受けた」といって、自分の考えていることを話してくれました。

彼は、「儒教はお米屋だ」というのです。生きていくためにお米が必要であるのと同じように、儒教を勉強すれば、その栄養によって人間は生きていける。次に、「法家は薬屋だ」といいました。具合が悪いときに処方箋をもらってのめば治る。そしてさらに、「仏教は百貨店だ」というのです。仏教は栄養にもなるし、薬にもなるし、何でもすべて揃っているという意味です。言い得て妙だと思い、私はまだ若いのによく勉強されていることに敬服しました。

日本では人間としてのあり方を学ぼうという気運が次第に希薄化していますが、過去に宗教を否定した中国ではいま、あらためて人間としてのあり方を学ぼうという動きが活発になっているようです。

「利他行」はキリスト教の「愛」の精神　梅原

それはおもしろい話ですね。仏教は百貨店で儒教は米屋だというのは。百貨店では米も売っているのでしょう。仏教は、とくに大乗仏教は、さまざまに変化する。まさに百貨店である。しかし、その中心の思想は「自利利他」です。この「利他」は孔子の説いた「仁」の精神に通じます。「仁」も人に対する思いやりです。そして孔子はちゃんと誠実に自己を律し、損をしても道を行えと説いています。「利他」といってよいでしょう。また「利他」はキリスト教の「愛」の精神にも通じます。人間の罪を一身に背負って十字架にかかったイエス・キリストは最大の「利他行」の実践者ではないでしょうか。「利他行」は人間が生きていくうえで最小限の、同時に最大限のことでしょう。たとえば、子供を持つと、親は自分が犠牲になってでも子供を育てる。それは「利他行」です。

その一方で人間は、自らの利益を追求するという「自利」の精神もなくては生き残っていけません。つまり、人間社会は「自利」と「利他」のバランスで成り立っているということを、子供たちにきちんと教えなくてはならないと思います。「利他行」について、稲盛さんはご著書で「布施」を強調しておられますね。

「世のため人のため」は恥ずかしいことではない　稲盛

ご存じのように、「六波羅蜜」は菩薩になるための六つの修行であって、そのなかに「布施」があるわけで、その「布施」(惜しまず分け与えること)とは「利他行」であるわけです。この「布施」であるとか「利他」というような、世のため人のために尽くす行為は、人間として最低限必要なことであり、最大限行うべきことでもあるのです。私はよく「世のため人のため」というのですが、どうもそのようなことを申し上げると、皆さん、気恥ずかしさを感じられるようです。あるいは仰々しく偉そうなことを、という思いを持たれるかもしれません。

では、気恥ずかしいから、仰々しいから表立ってはいわないが、陰できちんと、世のため人のため、「利他行」を実践しているならいいのですが、実際にはそういうことがあまりできていない人が多いようです。

やはり、なぜ「利他」でなければならないか、また「利他」であるにはどうすればいいのかということを、心の底から理解することが大切なのでしょう。それには、人間のあるべき姿を問うことから始めて、人に尽くす行為の必要性を繰り返し繰り返し説いていかなければ、なかなか実践に結びつけることはできないのではないかと思います。

労働のなかにこそ「利他行」がある　梅原

人は何のために働くのかといえば、それは自分が生きていくためだけではないですね。家族を養わなくてはいけない。苦労してきたお母さんに楽をさせたい。皆さん、そういいますね。それで一生懸命働くわけです。会社に入って初任給をもらったら、親に何かプレゼントする人も多いでしょう。子供に何か買ってやるでしょう。この時点でもう「利他行」を実践しているといえます。

それからもう一つは、自分の会社をよくしたいがために、会社のために一生懸命働くということもある。さらに、平和で住み心地のいい国家をつくるために働いたり、人類全体の問題である環境問題を解決するために働くということもあります。このように、家族的な「利他行」から発展して、会社のため、さらには国家、人類のため、というかたちで、自分を起点にしてどんどん「利他行」を広げていけるのです。

「世のため人のため」というと何か照れくさいというけれども、家族を養うため、かわいい子供においしいものを食べさせたいがために働く、という心は誰にでもあるはずですよ。女房を食わしてやりたい。子供においしいものを食べさせてやりたい。そういう心があるはずです。つまり、労働のなかに「利他行」があるのです。その延長線上に、会社をよくしたい、国をよくしたい、人類そのものに貢献したいという気持ちがあるはずで、「利他行」はいくらでも実践できるのです。

「自利」から「利他」へ祈りを広げる　稲盛

素晴らしいご指摘をいただきました。

いまのお話を聞いて思いましたのは、ふつうの人は、まず自分のために何かしてほしいと神仏に祈りを捧げて、お願いごとをする。それは「自利」ですが、それはそれでいいと思うのです。しかし、少し進歩すると、次には、病気のお母さんを助けてあげてほしいと祈る、「利他」のほうに移っていくべきであり、さらにその次には、家族のために、会社のために、国家のために、そして人類のためにというふうに、その祈る対象をさらに広げていかなければならないのでしょう。

街角で「世界人類が平和でありますように」という標語がかかっているのをよく見かけます。あれは五井昌久(ごいまさひさ)さんという方が唱えられて始まったことなのだそうです。ピースポールとして、その流れをくむ財団が、現在も世界中で設置運動を続けられています。

日本でも、長屋に住むおばあさんが自宅の表札の横にその札をかけておられる。そのおばあさんにとっては「世界人類が平和でありますように」ということと、自分の人生とはあまり関係がない。しかし、その札を貼ることで、それは結果的に人類の幸福を願う祈りとなり、「利他」の祈りになっている。おばあさんが「世界人類が平和でありますように」と唱えたとき、その心はもうグローバルなレベルに広がっているのです。そして、このことは、ひいてはおばあさん自身が救われることにもつながるわけです。

もともと「自利」なのですが、いつのまにか、もっと視野の広い、大きな「利他」を知らず知らずのうちに実践しているといっていいでしょう。ふつうは、自分にお金が入りますように、健康でありますように、と祈るところを、そのおばあさんにあえて「世界人類が平和でありますように」と祈りなさい、それがあなたにとっても幸せとなるのですと説く。その発想は素晴らしいと思ったことがあります。梅原先生の「利他」を徐々に広げていくべきだという話は、まさに同じ次元のことを説かれているように思いました。

「自利」と「利他」は共存すべき　梅原

「利他」だけの、いわゆる自己犠牲の精神は、危機的な状況においては可能ですが、日常の世界で実践するのは難しいのです。だから私は「自利」と「利他」は共存すべきだと思っています。そして、一言で「利他」といっても、家族、会社、国家、社会、人類と、いくつもの層があるのです。それをきちんと整理しないといけないと思います。

私がなぜ学問をやっているかといえば、本が売れればお金が入り家族も養えますけれども、それだけではありません。やはり真理は何か、そして人類はどうあるべきかという問題をどこかで考えています。そういう問題意識のない思想はつまらない。絶えず人類の平和とか人類の幸福を頭のなかできちんと考えないような思想はダメだと思いますね。

第三章　宗教を見つめ直すとき

なぜ実業家でありながら僧侶になったのか　梅原

稲盛さんとは長いおつきあいになりますが、私がいつも感心するのは、日本の実業家には珍しく、宗教に強い関心を持っていることです。ついには得度をされて、僧侶にまでなられた。しかもなおかつ経済人としても、第一線で活躍しておられる。こんな例は、日本ではあまりないでしょう。作家では瀬戸内寂聴さんが、尼でありながら執筆活動を続けていますが、経済人では非常に珍しい。

そこで私が伺いたいのは、稲盛さんはなぜ宗教や仏教に関心を持たれたかということです。そして仏教のなかでも、禅宗である臨済(りんざい)宗で得度されました。それはなぜなのか、そこをお聞かせ願えますか。

いまも印象に残る六歳の「隠れ念仏」体験　稲盛

私の実家は鹿児島市内にあり、両親とも浄土真宗の熱心な信者でした。そのため、私も両親の影響を受けて、子供のころからときどき鹿児島市内にある西本願寺別院に通っていましたから、このことも影響しているのでしょう。

さらには、このような宗教の原体験らしきものもあります。六歳のとき、鹿児島市内から三里

（約一二キロメートル）ほど離れた、父の生まれた村へ行ったときのことです。そこには「隠れ念仏」といわれる信仰が当時まだ残っていて、そこで私は強烈な体験をしました。

父は日が暮れるまで親戚と雑談をしていたのですが、日が沈むと私を連れて、山道を登っていくのです。私のほかにも、小学校にあがる前の子供四、五人がいて、大人はその周囲を提灯を持ちながら歩いていく。みんな声を出さず、なにか恐ろしい感じがしたことを覚えています。

山道を登った先に一軒の家があって、なかに入ると、押し入れを開けたところに立派なお仏壇が置かれていました。その前には袈裟を着たお坊さんが座っていて、小さな声でお経をあげているのです。子供はそのお坊さんの後ろに正座させられ、お経を聞くように促されました。

当時、すでに電気は来ていたはずですが、その家の電灯はついておらず、小さなろうそくが二、三本灯っているだけで、非常に暗かったことがいまも印象に残っています。

読経が終わると、お坊さんは後ろを向いて、子供たちに「お仏壇の前に行って、お線香をあげて拝みなさい」と告げました。一人ずつ拝みにいったのですが、私が拝み終わると、お坊さんは「お前は今日、お参りした。これでいい」といい、父に向かっても、「この子はもういいですよ」というのです。

また、さらに私に「これから毎日、『なんまんなんまん、ありがとう』と、声を出して仏さんに感謝しなさい。生きているあいだ、それだけすればよろしい」と説かれました。

子供たちのなかには、「この子はもう一回連れてきてください」などと、親にいわれていた子もいましたから、私は「もういい」といわれたことで、なにか試験に合格したような、免許皆伝と認められたような、そんなうれしい気持ちになりました。

　この体験が印象深く、私はいまもことあるごとに、「なんまんなんまん、ありがとう」と、ごく自然に唱えている自分に気がつき、苦笑しています。仏教寺院だけでなく、ヨーロッパへ行って、キリスト教の教会に行ったときでも、これは同じです。私にとって「祈り」とは「なんまんなんまん、ありがとう」で、これはもう宗教、宗派を超えたものといってもいいでしょう。

　もう一つ、こんな体験もあります。私は小学校六年生のときに、結核にかかりました。そのころ叔父二人と叔母一人を立て続けに結核で亡くしていましたから、子供心に「私ももうすぐ死ぬ」と思っていました。そのとき「生長の家」の創始者である谷口雅春さんの『生命の實相(じっそう)』を人に薦められて、わからないなりにも一生懸命読みふけったのです。『甘露(かんろ)の法雨(ほうう)』という本も頂戴して、朝晩、お仏壇の前で読み上げてもいました。

　そうしたなかで、谷口さんのいわれる「心の様相」という言葉に出合います。心に抱く様相が、現象界にすべて現れてくるというのが、その教えの根幹です。

　考えてみれば私自身、心のなかに結核を招くような、自分の心の様相があったような気がしました。叔父や叔母が結核で倒れたこともあって、私の家は私が結核にかかる前から、近所の人たちに、「あそこは結核の家系だ」といわれていました。叔父や叔母が亡くなる前に離れで療養していたこともあって、みんな私の家には近寄るのもいや、という風情でした。

　そのため、私もずいぶん肩身の狭い思いをしたのですが、そういう私自身、叔父の療養する離れのそばを通るときは、鼻をつまんで、息を吸わないようにして走っていたのです。結核菌は空気感染でうつると知っていたからです。ところが三つ違いの私の兄は、そうしたことにまったく頓着しません。離れの近くを通るときも、悠然と歩いていました。その兄が結核にかからず、ことさら避けようとした私だけが、結核にかかったのです。

また叔父や叔母は父方の親戚でしたから、面倒を見ていたのはほとんど、私の父でした。母には「見ないでいい」といって、父一人でかいがいしく病人の世話をしていました。三人の死に水をとったのも父です。その父はいつまでたっても結核にかかることなく、逆に遠ざかっていた母のほうが、私が高校生のころ結核にかかってしまうのです。そんな体験をしているうちに、私は心のあり方や、それを説く宗教というものに対して、大きな関心を持つようになっていきました。

大学を卒業し、実社会に出てからも、そのような経験をしました。それまで私は、大学受験に失敗、就職試験にも落ちるといった、運のない人生を歩んできました。また、ようやく京都の焼き物会社に入ったのですが、それがいまにも潰れそうな赤字会社で、初めのうちは不平不満ばかりこぼしていました。

しかし、やがて「転職しようにも行き先はどこにもないのだから、ここで一生懸命やるしかないのだ」と覚悟を決め、仕事に打ち込むようになりました。それから、私の人生は変わってくるのです。まさに「心の様相」が変わることで、環境が変わり、人生も好転していったのです。

一心不乱に研究活動に没頭していると、次々に素晴らしい成果が現れるのです。そうして四年間ほど、ファインセラミックスの研究に没頭し、その技術をもとに、独立して京セラを興すのです。

会社を興したら、責任のすべては経営者である私にありますから、成功するかどうかは私の「心の様相」ただ一つにかかっていると考えてきました。つまり、技術や資金、設備といった物的条件よりも、経営者の「心の様相」こそがいちばん大事であり、同時に一緒に仕事をしてくれる人たちの「心の様相」が大切になる。一九五九年に会社を創設して以来、そう思いながら今日までやってきました。

その間、さまざまな機会を通じて仏教に接してきましたが、やがて禅宗と出合います。京セラを興すときに支援していただいた方が、京都の八幡（やわた）にある臨済宗妙心寺派の円福寺の後見人をつとめられていたこともあって、その方のご縁で、西片擔雪（にしかたたんせつ）ご老師と知り合うことになりました。

西片ご老師も大学時代に結核にかかった経験をお持ちです。戦時中だったこともあって、「どうせ死ぬならお寺に入って修行したい」と、禅寺の門を叩かれたそうです。そして、厳しい修行を重ねられ、円福寺の住職を経て、このたび（二〇〇二年）妙心寺派本山の管長猊下（かんちょうげいか）に就任されました。

この西片ご老師がまだ円福寺におられるころに、私は直接禅についていろいろとご指導を受けました。そうしているうちに、仏教のなかでも、とくに禅宗に強く心惹かれるようになったのです。

実際に、西片ご老師とお会いして、「困ったことがありまして」と相談をしましても、具体的な答えをいただいたことは一度もなかったように思います。「そんなことを嘆かなくてもいいでしょう。なるようにしかなりません」といった、禅問答のような答えしか返ってこないのです。

それでも、私はご老師を私自身の師として、心から尊敬しています。あるとき、私が「六十歳になったら仏門に入って、お坊さんの真似事でもしたいと思っています」といいましたら、「それなら、私のところで得度をしますか」といわれましたが、仕事の都合もあり、五年後の六十五歳になったとき、ご老師のお導きで円福寺にて得度することになったのです。

最初は、その年（一九九七年）の六月に得度をし、修行をしようと考えていました。すると、いざそのために十日ほど会社を休もうとした矢先に胃ガンが見つかり、得度を延期しなければなりませんでした。結局、そのもともと得度式を予定していた日が、胃ガン切除の手術日となりました。そして、七月から八月にかけて入院して、退院した後の九月に得度をし、十一月にはお寺に入り、修行の真似事もさせていただきました。

家に入った泥棒の保証人になった養父　梅原

いまの稲盛さんの話を聞いて印象に残ったのは、隠れ念仏の話です。六歳のときのこの体験が、稲盛さんの心の根底にあって、いまも、どこへ行っても「ありがたいことだ」という思いが念仏となって出てくる。これは非常に大事なことだと思います。

いま日本のインテリは、ほとんどが仏教とおさらばしています。これは明治以後、ずっと続く流れです。明治初期に起こった廃仏毀釈は、日本における宗教否定といえます。このとき日本人は、近代化のために神様や仏様を殺してしまったのです。

廃仏毀釈というと、一般には仏教を否定して、神道へ帰ったようにいわれます。しかし神道にしても、国家と天皇を神にするという、いわゆる国家神道以外の神道は、すべて否定してしまいました。ですからこれは、全宗教の否定なのです。だからこそ日本は近代化が成功したともいえるでしょう。

それでも民衆レベルでは、昔から続く宗教がずっと残っていました。稲盛さんが鹿児島で体験された、隠れ念仏もそうです。これは徳川時代に生まれたもので、薩摩藩によって一向宗（浄土真宗）が弾圧されたとき、非常に信仰心の篤い人たちによって密かに守りつづけられた宗教なのです。弾圧された結果、信仰がことさら強く燃えて新しく展開されたため、同じ浄土真宗でも本願寺の仏教とは、だいぶん違うものになったのです。

そういう宗教を幼いときに体験されて、それがいまも精神の根底にあるというのは、たいへん興味深い話です。明治以降、支配階級と仏教は完全に断絶しました。とくに天皇家です。それまで天皇家の人間で即位できない方は、多く門跡寺院に入って、「門跡」と呼ばれるお坊さんになりました。宮中に真言院があり、多くの天皇がそこで灌頂を受け、真言宗の信者になりました。仏教は天皇家の宗教であり、天皇も仏教を通じて東アジアの文化を身につけられました。それが廃仏毀釈によって天皇と仏教が切り離されました。いまでもそうです。大部分の日本人は仏教徒で、誕生のお祝いは神道で、葬式は仏教でやるのですが、天皇家の人々は葬式も仏教で行わない。廃仏毀釈は天皇家の人々から宗教を奪ったのです。門跡になっていた皇族の人々はほとんど陸軍か海軍の将軍になりました。これは宗教否定の最たるものでしょう。

そのような風潮のなかでインテリが宗教を捨ててしまう一方、民衆のなかには宗教心が残っていた。民衆によって連綿と受け継がれてきたものが、いま稲盛さんによってよみがえってきた。そこに私は、大きな感動を受けるのです。

もう一つ、稲盛さんの家に結核の人があり、青年時代に自ら結核にかかられたのも重要な人生経験だと思います。じつをいうと私自身も結核には非常に縁があります。私の父は、東北大学の学生だったときに、下宿先の娘と恋愛しました。それが私の母です。その恋愛によって私が生まれるのですが、梅原家はその結婚を認めなかった。父も母もひどく悩んだと思いますが、そのせいか二人とも結核になってしまうのです。

父は九死に一生を得るのですが、母は亡くなってしまいました。私の生後一年三カ月のときのことです。それで私は愛知県の田舎町に住む、父の兄夫婦に引き取られるのです。ところが、その養母もまた結核を患っていたのです。そんなわけで私も子供のときから結核は非常に身近にあり、よく結核にかからずにすんだと思っています。

養父と養母は特定の宗教の信者ではありませんでしたが、養父は持って生まれた宗教性のようなものを備えていました。養父はみそやしょうゆを製造していた小さな地主でしたが、町の人から「旦那はん、旦那はん」と呼ばれて親しまれていました。戦争中、家の米が盗まれたことがあります。このとき養母は、「米が盗まれて困るがな」と嘆いたのですが、養父は「誰かが食うて喜ぶからええわい」と、のほほんとしていました。

警察が調べた結果、犯人は家に出入りしている人の息子だとわかりました。それで巡査がやってきて、「保証人がいれば、彼を釈放できます。彼のおっかあは旦那はんに保証人になってほしいといっているのですが」といいました。

盗んだ人の保証人を、盗まれた人が引き受けるなんて、こんなバカな話はありません。巡査もてっきり断ると思っていってみただけだと思いますが、ところが養父は「ええわい」と承知したのです。巡査も呆れていましたが、こんなところに、私には真似のできない持って生まれた菩薩の心を感じました。

養母も、『女大学』を絵に描いた、非常に正直な女性でした。私は小学校のとき、あまり勉強をせず、成績がよくありませんでした。それでも養母は何もいいませんでした。ただし私がウソをいったときは、ものすごく叱られたものです。

そういう養父母に育てられたのですが、一方で幼いときに実母を亡くしていますから、心のどこかに孤独感を持っていました。そして子供のときから一人で空想にふける自分の世界を持っていました。それで後に哲学を一生の仕事にするようになったのでしょう。

私は哲学を京都大学で学びましたが、京都大学の哲学は、東京大学のように西洋哲学一辺倒ではありませんでした。たとえば西田幾多郎先生は、西洋の哲学とともに仏教をはじめとする東洋の思想も研究しなければならないといい、参禅の体験を哲学の基礎に置き、東西の思想を総合する哲学体系を打ち立てました。また田辺元（たなべはじめ）先生は、親鸞の懺悔の思想を基礎に置いた「懺悔道の哲学」という独自な哲学を創りました。そういう伝統のなかで私は学んだのですが、戦後の京都大学の哲学科は西洋哲学の研究をしていればよいという風潮でした。

私が本格的に日本の思想を研究したのは、弘法大師の著書を読んでからです。禅も浄土宗も、どこかしら墨色の印象を受けます。ところが弘法大師が説くのは、絢爛たる色の世界を肯定する宗教なのです。こんな思想が日本にあったのかと驚いて、日本の思想や文化の研究に入っていったのです。

その視点で明治以降の日本の思想を見ていくと、そのほとんどが仏教の存在を忘れていることが、よくわかりました。私の最初に認められた論文は「日本百年の宗教的痴呆」というものですが、ここでは「〝歌を忘れたカナリア〟のように、宗教を忘れた人間はお山に捨てるしかない」と、そんなことを書いています。ここから私の思想は、出発しているのです。

子供のころに「偉大なもの」に触れる大切さ　稲盛

梅原先生も私同様、小さいころに受けた体験が、人生や思想形成に大きく影響しているのでしょう。とくに、宗教を信じる、あるいは信仰を持つようになるには、幼いとき、つまり、物心もつかない、いわば純粋なときの体験が重要になるのかもしれません。

たとえば、私の場合、子供のころに、「隠れ念仏」を通じて、「なんまんなんまん、ありがとう」という言葉を教わりました。これは「南無阿弥陀仏」という浄土真宗の念仏の言葉ですが、たんに仏に感謝するだけではなく、自然やこの宇宙をつくった創造主に対する感謝の気持ちをも表しています。

先にも申し上げた「サムシング・グレート」というべきか、偉大な存在に対し、感謝し、畏敬する気持ちのことです。これは宗教、宗派を超えて、人類に普遍的に通じる考え方だと私は思うのです。

「宇宙を宇宙あらしめている偉大な存在があり、それがあなた自身をもあらしめている。それに対して、あなたは素直に感謝し、畏敬しなさい」。この一点だけでも、子供に教えることが大切だと私は思います。

それなのに現代の教育現場では、宗教にかかわるものはいっさい教えてはならないとされています。

特定の宗教を教える必要はありませんが、宗教が伝えてきた、崇高な存在への畏怖の念を伝えることは、子供たちの倫理、道徳を養ううえで必要なことではないでしょうか。

またもう一つ、子供のころに苦労をしたり、挫折をしたりする、そんな「試練」も、人間の心をつくっていくうえでは大切になってきます。苦悩というのは、人間を育てるために不可欠な栄養素なのです。しかしいまは、この「試練」を通じた人間形成の教育も行われていません。

子供たちは、食べるにしても、おもちゃを買ってもらうにしても、ぜいたく三昧に育っています。そのようにして苦労を知らず、甘やかされて育てられる子供は、将来のことを考えれば、むしろかわいそうであり、その子供が将来を担うであろう社会を考えるとき、大きな不安を感じます。

豊かになったことを否定するわけではありませんし、いまの子供たちに、われわれと同じような経験をさせることはできません。しかし、豊かになったことで、われわれが子供のころに味わった苦労や挫折を体験することができなくなっているなら、それに代わる人間形成の機会を別途考える必要があると思うのです。

戦後、衣食足って、礼節を忘れた日本人　梅原

私は戦中派ですが、戦中派というのは、みなたいへんな挫折を被っています。昭和二十年の敗戦を境に、いままで善とされていたものが、すべて悪になりました。逆に悪だったものは、すべて善に変わります。価値が大きく変化したのです。そんな体験をしますと、道徳というものがあまり信じられなくなります。そこから、一種のニヒリズムが出てきてしまいます。

一方で、戦後はみんな、非常にお腹をすかせていました。「腹いっぱい食べたい」という気持ちを強く持っていました。そこから「お金を儲けて生活をよくすれば、腹いっぱい食える。それだけは信じられる」と、そんな無神論が出てくるのです。われわれの世代は、そんな考えのもとで努力して、戦後の日本の繁栄をつくってきたのです。

その結果、どうなったか。よく「衣食足って礼節を知る」といいますが、「衣食足って礼節を忘れた」になってしまったのです。福沢諭吉は、近代社会をつくれば、独立自尊の礼節を知る人間ができるといっていましたが、そうではなかったのです。近代化した結果、日本は独立自尊の

精神の欠如した礼節のない人間ばかりを育てたのではないでしょうか。

「あの世には何もない」「死んだら無だ」と思っている現代人　稲盛

私は、梅原先生が中学校で行われた授業をまとめた『梅原猛の授業　仏教』を、朝、目が覚めて布団から出る前のぬくもりのなかで読み終えました。毎日一時間ほど丁寧に読んでいったのですが、時間が経つのを忘れてしまいました。

そのとき気づいたのは、現代人と昔の人との仏教に対する意識の違いです。仏教というのは本来、われわれ悩んでいる人間に何かを教えてくれたり、救ってくれたりする存在です。それが禅宗になると、厳しい修行を通じて悟りを開くことを求めるようになり、一般の人には難しく近寄りがたいものとなってしまいました。一方、比較的近寄りやすいのが浄土真宗で、親鸞の教えに一般の人々はみな親近感をおぼえるわけです。実際に、『歎異抄（たんにしょう）』などを通じて、親鸞の教えに親しんでいる人はたくさんいます。

親鸞が説いているのは、「念仏を唱えれば、すべてのものが救われる」ということです。苦難に満ちた諸行無常の世の中で、人間は煩悩を持っているがゆえに、波瀾万丈の人生を送らなければならない。そんな人生を渡っていく人間を、阿弥陀如来が救ってくれる。しかも、善人だけでなく、悪人はなおさら救われる。そんな逆説めいたことをいう。

ただそれは、現世で救われるのではなく、彼岸、すなわちあの世に行ったときの話です。「念仏を唱えれば阿弥陀如来が救ってくれて、あなたは極楽浄土に行くことができます」というように、来世における救済なのです。

親鸞が生きていたのは、〝霊魂〟が世に跋扈（ばっこ）していた時代です。人間には霊魂があるということを万人が信じていましたし、死んでも霊魂は残るとも考えられていました。ですから、現世における苦労よりも、死んだあと、つまり、当時の人々にとって、来世で霊魂としての自分が地獄に落ちるか極楽に行くかということのほうが、はるかに大きな関心事だったのです。そのため、念仏さえ唱えれば、阿弥陀如来があなたを極楽浄土に往生させてくれるという親鸞の浄土真宗に、みんな引き込まれていったのです。

いま仏教があまり受け入れられない理由もここにあります。近代科学がわれわれに教えてきたのは霊魂の否定で、死んだあとには何もないというものです。その結果、霊魂の存在を信じている人も少なくなり、死後の世界があるなどとは誰も考えていません。

さらに、仏教が説く「空」や「無」の思想を、誤って勝手に解釈する人も出てきました。死んで彼岸まで渡っても、そこには地獄も極楽もなく、ただ「無」である、というわけです。悟りを開いて彼岸に行っても、しょせんは「無」だと解釈する。いま禅宗のお坊さんにさえ、そんな考えの人が多いと聞きます。

その結果、日本ではほとんどの人が、「死んだら何も残らない。肉体が滅び、魂すらもなくなる」と考えています。そんな人たちに「来世で極楽浄土に往生させてあげます」とか、「来世で阿弥陀如来が救ってくれます」などと、来世における救済を説いても、まったく説得力がないのです。

新聞や雑誌でよく新興宗教に対する批判を目にします。「新興宗教が来世の利益ではなく、現世での利益を説くのは間違っている。そんなことをするから、宗教そのものがおかしくなってしまった」というわけです。

しかし、現代人は来世を信じていないのだから、「来世で往生する」という旧態依然とした教えでは、彼らを救うことはできません。もはや現世利益を説くしか、現代人を救うことはできなくなっているのではないか、そう私は思うのです。そのあたりを梅原先生はどう思われるのか、お聞かせ願えますか。

仏教の基本精神は「自分を利して他人も利する」こと　梅原

重要なことは、親鸞だろうが禅だろうが、どんな宗派であれ、すべて大乗仏教であるということです。大乗仏教の基本は「自利利他」で、自分を利して、他人も利する。やはり自分を利することが大事で、しかし自利だけではなく、利他でもなければならない。この二つを調和させるのです。それが大乗仏教に共通する教えで、そういう共通な視点があって、あとはそのような思想をどう展開するかだけの違いなのです。

大乗仏教が小乗仏教を批判したのも、小乗仏教が自利に偏ったからです。自分ひとり悟ればよくて、人を利することをしないのが小乗仏教です。そうではなく、自利とともに利他の行をする、それが菩薩なのです。

この菩薩の最もよい例が観音様です。観音様というのは、三三に身を変えて、苦しむ人を救う。あるときは女性となり、あるときは老人となり、人を救う。観音は男性でも女性でもありませんが、女性と考えられることが多い。私は、観音は母の愛を表した仏様であると思います。いわばキリスト教のマリア崇拝と同じです。「利他」の心は誰でも持っていて、とくに母は子供に対しては、「利他行」そのものになります。そんな母の心を、すべての人がすべての人に対して持てるはずだと、大乗仏教では説くのです。

ですから私は、稲盛さんが自分のお金を、いろいろなところに寄付し、社会に還元している姿を見て、そこに「自利利他」の行を感じます。これは稲盛さんが真宗の信者であるとか、禅宗の信者であるということとは関係なく、稲盛さんは菩薩行を行っているのであると思います。誰でも「利他」の行をするときは菩薩になるのです。

菩薩の行に関して、とくに私の好きなのが「四弘誓願」という大乗仏教の共通な誓いです。これは「煩悩無数誓願断（誓って無数に尽きることのない煩悩を断とう）」「法門無尽誓願学（誓って量り知ることのできない仏法の深い教えを学びとろう）」「衆生無辺誓願度（誓って数限りない人々を悟りの彼岸に渡そう）」「仏道無上誓願成（誓って無上の悟りに至ろう）」という、四つの誓いを表す言葉です。

煩悩はたくさんあるけれど、それをすべて断ちたい。学ぶべき学問はたくさんあるけれど、すべてを学びたい。悟りの位はこのうえなく高いけれど、その位に登りたい。そんな「自利」の願いがある一方で、悩めるたくさんの者を救いたいという、「利他」の誓いも入っているのです。このような誓いを持って生きていると、ほんとうによい人生が送れるのではないかと思います。私はこの「四弘誓願」の素晴らしさがわかったのは最近ですが、残された人生をこのような誓いによって生きたいと思います。

このような誓いによって生きた宮沢賢治の話をしましょう。彼の父は浄土真宗のたいへん熱心な信者でした。それなのに賢治は真宗を捨てて、日蓮宗に入るようになります。その理由というのが、真宗に入ることで自分は極楽浄土に行って救済されるけれど、人を救済することが少ない。そうではなく、自分の命を捨てても人を救済する精神こそが仏教だと考えて日蓮宗の信者になったのです。

しかし、この真宗批判は少し違うのです。近代の真宗はあの世について語らなくなった。それは、近代人があの世なんか信じないと思って、できるだけ語らないようにした。そこで説かれたのは、悪人正機（阿弥陀仏の本願は悪人を救うためのものであり、悪人こそが救済の対象とする考え方）の仏教としての真宗です。『歎異抄』は悪人正機説のバイブルになった。それは近代的な真宗といってよいが、浄土を説かない浄土教はナンセンスです。浄土というと、念仏を唱えていたら極楽浄土へ行けるということだけが真宗の思想のように考えられがちですが、ただ行って終わりではないのです。行ったあと、やがてまた現世に帰ってくるのです。

なぜ帰ってくるかというと、まだこの世に救われていない人たちがいるので、彼らを救うために帰ってくるのです。つまり念仏を唱えて、死後、極楽に行っても、そこでじっとしていてはいけないのです。必ずこちらへ帰ってこなければならないという考え方があるのです。

これはもともと浄土宗の開祖である法然上人の考え方で、彼は死ぬときに「自分は極楽からやってきた」といっています。これを「二種廻向」といいますが、親鸞聖人は『教行信証』のなかでその説を詳しく語っています。浄土宗ならびに浄土真宗の思想は二種廻向の説が中心です。行っただけならば「自利」の思想、帰ってくることによって「利他」の思想となります。この極楽浄土から苦しむ人を救うために帰ってきたという思想が大切です。この思想によって人は「利他」の思想に目覚めます。

浄土宗や浄土真宗の坊さんは自分が悪人などと誇らしげに語らず、法然上人や親鸞聖人のように、自分は極楽から人を救うためにこの世にやってきたという自覚を持たねばなりません。そう考えれば、日常の生活がまったく違ってきます。

周りにたくさんいる、極楽浄土から戻ってきたような人たち　稲盛

われわれの周りを見ると、まるで極楽浄土から戻ってきたような、生まれながらにして仏性を備えている人がいます。もともと心が美しく、ちっとも力むことなく、自然に「利他行」をしているのです。まさに極楽浄土から、周りの人々を救うために、菩薩となって現世へ帰ってきたのではないかという気さえします。

そのような人は、少し探せばいくらでもいるはずです。そのなかには、一生懸命に努力してそ

うなっている人もいれば、知らずしてそのようになっている人もいます。人によってさまざまですが、私にはみんな極楽浄土から、悩める人を救うために帰ってきた人たちのように思えてならないのです。ときに、新聞の投書欄を見ても、心温まるような話を寄せる方があります。

そのように、ふつうなら文句や愚痴をいいそうな出来事も、よいほうにしか受け取らず、いつもニコニコとしておられる。そういう人たちを探し出して、一つの人間集団をつくったらおもしろいのかもしれません。とくに、政治の世界などでは、そのような心の美しい人たちが加わることで、がらりと様相は変わることでしょう。

霊魂は、この世とあの世を無限に行ったり来たりする　梅原

たしかに極楽から帰ってきたような人は、現実にいます。そういう人は、生まれたときから妙好人（みょうこうにん）のような菩薩行を、自覚せずに平気でやっているのです。ただ、知識人には少ないです。学校教育を受ければ受けるほど、菩薩行をする人は少なくなるのです。逆にどんな人であれ、女の人は、子供に対しては十分、菩薩行を行っています。旦那にはいつもガミガミいって、ときには夜叉になることがあっても、子供には菩薩になるのです。

日本人は縄文の昔からあの世を信じてきました。弔辞のなかでよく、「しばらく待っていてください」とか、「私もやがてあなたのいるところに行きます」などといいます。いまは言葉だけかもしれませんが、一時代前まで日本人はこのようなあの世を信じていました。あの世は天の一

角にあって、すべてがこの世とあべこべです。この世の朝はあの世の夕べ、この世の夏はあの世の冬、すべてあべこべなので、死んだ人に着物をあべこべに着せます。私は子供のとき、着物を左前に着て、母から「タケシ、死人の真似をするな」といって叱られました。死ぬと、ご先祖様たちが待っているあの世に行きます。そしてあの世から、やがて子孫となって、この世に帰ってくるのです。

こうした考え方は、アイヌの伝承にもしっかり残っています。A家とB家とのあいだで子供ができると、そのニュースがあの世に入って、あの世のA家とB家の代表が、誰の霊魂を戻すかを相談するのです。そして誰か一人が選ばれると、その人の霊がこの世へ帰り、妊婦の胎内に入り、やがて新生児となって生まれてくるのです。

そうやって霊魂は、無限にあの世とこの世のあいだの往復の旅を繰り返しているのです。そしてあの世には、極楽も地獄もないのです。ただ現世で悪いことをした人は、あの世に行ったら、なかなかこの世に戻ってこられません。一万年あの世にいたりします。逆にいいことをした人は、短い時間で、あるいは十年足らずで戻ってくることができるのです。期間の違いこそあれ、誰もがあの世とこの世のあいだを行ったり来たりしているわけです。

このように、あの世とこの世のあいだで霊が無限の往還運動をするのは人間に限りません。犬もクマもフクロウも鮭も貝もそのような無限の往還運動をする。アイヌの「イオマンテ」というのは「それを送る」という意味で、クマの霊をあの世に送る祭りです。それはもう一度クマがこの世に帰ってくることを祈る祭りです。貝塚は、貝の霊をあの世に送り、またこの世に帰ることを祈った、貝の葬儀のあとです。貝塚というより、それは貝の墓です。それを貝のゴミ捨て場と考えた戦後の考古学者は、よくよく唯物論に毒されているのです。

そんな考え方がもともと日本人の根の部分にあり、これが浄土教の考え方と結びついて、いまの日本人の基本的な世界観をつくったのだと思います。浄土教の場合、あの世は極楽ですが、法然や親鸞は念仏をすれば誰でも極楽に行けると説いた。そして「利他」の人間は極楽にとどまっていられず、またこの世に菩薩として帰ってくる。再生の原理が血から法に変わりますが、無限の往還という考えは同じです。

これが日本人が昔から持ちつづけていた世界観なのですが、明治以後、近代科学を取り入れることで、その考え方を否定してしまいました。ところがいま、遺伝子科学という新しい科学が出てきたことで、様子がまた変わってきています。

遺伝子というのは、不死だといわれています。遺伝子の「乗り物」である肉体が滅んでも、遺伝子は子孫に受け継がれて、生きつづけます。霊魂も、生死を無限に繰り返す、いわば不死の存在です。そう考えると、遺伝子と霊魂は、どちらも無限に繰り返す生を生きつづける存在というわけです。

そもそも、いまのわれわれの生命は、永遠といってもよい長い生命の発展の歴史の結果です。その生命発展の歴史を集約しているのが遺伝子ですね。遺伝子は自己を生き永らえさせようとする「自利」の要素と、自分を犠牲にしても子孫を残そうとする「利他」の要素を持っています。鮭が子供を産んで死ぬために海の彼方から帰ってくるのはなぜか。それは遺伝子のなかに「利他」の精神があるからです。生きとし生けるものは、みな自ずから「利他」の精神を宿しているんですね。つまり、仏教のいう「利他」の精神が遺伝子のなかに含まれているわけです。近代科学によって否定された霊魂の考え方が、現代科学の遺伝子という考え方によって、生き返ってきたといえます。これこそまさに、新しい世界観といえるのではないでしょうか。

臨死体験も、霊魂が実在する証拠　稲盛

いま、あの世とこの世はあべこべだという話をされましたが、同じような世界観は、現代物理学の世界にも見ることができます。

原子は電子と原子核で構成されています。電子はマイナスの電荷を持ち、原子核のなかには、プラスの電荷を帯びた陽子があります。つまり、物質はすべてマイナスとプラス、陰と陽で構成されているのです。

これに対して、「反物質」というものがあります。「反物質」とは、電子があれば反電子（陽電子）があるというように、あらゆる素粒子には同じ重さ、同じ大きさで、反対の電荷を持った反粒子が存在するといわれています。この反粒子からできた物質が「反物質」で、両方の物質がぶつかれば、大爆発を起こして消滅してしまうといいます。この「反物質」の存在は、すでに実験では確認されているそうです。

つまり、現在の物理学では、物質は必ず対になっていて、「正」と「反」がある。いまわれわ

れが知っている物質で構成される、われわれが住んでいる世界のほかに、まったく逆の性質を持つ「反物質」のみで構成される世界があるはずだと考えられているのです。だから、現世と来世があるというのも、考えられることなのかもしれません。

霊魂の存在も同様です。古代にしても中世にしても、怨霊というものが存在していると、一般に考えられている時代でした。そのころから伝わる古典芸能を見ても、すぐに怨霊が登場してきます。それも死霊だけでなく、生霊までが登場します。

その怨霊が禍をもたらし、あるときは福をもたらす。そう人々が信じていたからこそ、怨霊を鎮めるために、みんな加持祈禱を行ったのです。それが、明治維新になって、近代国家の建設を目指し、近代科学を基調として立国を図ることにより、すべて迷信の名のもとに否定されてしまいました。そして、それ以降、日本にはもはや怨霊が跋扈することはなくなりました。

一方で、そのような現代人の常識を覆す事例が数多く報告されていますし、いまでも原因不明の病気に冒されたり、現代医学では不治といわれている病が突然治ったりする事例はいくらでもあります。しかし、現代人はそれを怨霊のせいと考えることはありません。

また、事故や病気で仮死状態になった人が生き返って、そのときの体験を話すという、いわゆる「臨死体験」があります。

この臨死体験を語る人が、いま欧米や日本でもたくさん出てきて、その事例は膨大な数に及んでいます。それらのほとんどに共通していることがあります。それは次のようなものです。

客観的に見ると、当人は死んでいる。呼吸は止まり、心臓も止まっている。医者も「ご臨終です」といい、親族の人たちは嘆き悲しんでいる。もちろん、当人をいくら揺すっても反応もない。ところが突然、息を吹き返す。本人に話を聞いてみると、「ご臨終です」と医者が親族に告げた様子や、みんなが嘆き悲しんでいた様子を知っている。なかには、みんなが泣き叫んでいる姿を見ながら、「私はまだ死んでいないのに」と不思議に思ったという人までいる。

また、その臨死状態のときの本人の記憶をたどると、「お花畑を歩いていた」と答える人が非常に多いそうです。お花畑を歩いていくと、道の先に亡くなったおばあちゃんがいて、「お前はまだ来るな」といって、一生懸命、手を振っている。そこで「戻ったほうがいいのかな」と思い、踵（きびす）を返したところ、突然、目が覚めて、生き返った。そんな話をする人が、世界で何万人もいるのです。

彼らのほとんどが、客観的には死んでしまい意識もないはずなのに、医者の声や家族の声を聞き、なかには「天井から自分の体を見ていた」と、肉体と遊離した自分の魂について言及する人も少なくありません。

このようなことからも、霊や魂の存在を肯定してもいいのではないかと思えるのです。にもかかわらず、いまだにそうしたものは否定され、「幻覚を見た」とすまされてしまいます。

とくに医者などは、このような話をいくつも聞いているはずでしょうから、霊魂の存在を信じるようになってもいいと思うのです。ところが、ほとんどの方は認めようとしません。

しかし私は、霊魂は絶対に存在すると思っています。今後は、現代科学の力をもって、人間は肉体だけの存在でないことを、ぜひ実証してほしいとも思うのです。

死者の霊を信じる心が、日本人の心の美しさを支えていた　梅原

何度か紹介した小泉八雲（ラフカディオ・ハーン）が、明治の半ばに来日して最初に赴いたのは、島根県の松江でした。ここで日本の人々に触れたハーンは、日本は素晴らしい国だと感動します。「日本人のなかには、持って生まれた宗教心や道徳心がある」というのです。

彼は父親がアイルランド人で、母親がギリシャ人です。彼自身は一神教であるイギリスで育ちましたが、ギリシャ人という多神教信者の血が流れています。そしてアイルランドにも多神教のケルトの宗教の名残があります。その彼が多神教の日本へきて、「まさに、ここにギリシャがある」と喜んだのです。日本は天皇崇拝を唯一の宗教とすることによって多神教を失うことになりますが、彼はまだ多神教の失われていない日本を見たのです。

彼がとくに感動したのは、前にも話しましたが、海を渡って隠岐島へ行ったときです。ここでは、どの家にも鍵がかかっていません。イギリスでは考えられない話ですから、「この国には犯罪一つない。素晴らしい心の国なのだ」というわけです。

その後、ハーンは、熊本で暮らしたあと、東京へ移ります。そこで彼が感じたのは、都会へ行くほど、よい日本人がいなくなるということです。近代化によって、日本人の心の美しさが失われてきていることを感じたのです。そして彼は、日本人の心の美しさを支えていたのは、死者の霊を信じる心ではないかと考えるようになります。死者の霊が生きている者にしょっちゅう語り

かけてくる、そんな民間信仰が、日本人の心の美しさを支えているというのです。ただ彼は、東京では東京帝国大学の英文学の講師でしたから、明治政府としては困るのです。せっかく高い給料を出して西洋人を雇ったのに、近代化を否定されたのでは意味がないというわけです。それで明治政府とうまくいかなくなって、最終的に大学を辞めることになります。

当時の日本人は、ほとんど近代化万能主義で、日清戦争に勝って喜んでいました。そこへ西洋からきたハーンが、近代化に対する懐疑を投げかけたのは、じつに皮肉な話です。

私自身、ハーンと同様、そうした諸々の霊への信仰のなかで、日本人の道徳というものは養われていたと思います。その信仰を失ってしまった日本人は、いったいどこへ行くのでしょうか。このことを考えるとき、私がいつも思い出すのは、先に紹介したドストエフスキーの『カラマーゾフの兄弟』です。現代というのは、宗教を失った無神論の時代である。無神論の時代には、道徳が成立しない。だから殺人も許される。親殺しも許される。そんなカラマーゾフ家の次男イワンの思想の行く末をドストエフスキーは描きました。ただし、『カラマーゾフの兄弟』は未完に終わっています。ドストエフスキーは、「神もあります、不死もあります」と考える三男アリョーシャの思想を中心に小説を完結させたいと思っていたようですが、ついに書かれなかった。

私は、そのことが現代の思想的状況を象徴していると思います。いま、近代主義の欠陥はあらわになり、その恐るべき帰結がかなりはっきり見えてきたのに、まだ救いの方向は明らかになっていない。むしろ、宗教も道徳も失ったイワンの世界の暗い行く末に時代がどんどん近づいている。いまの日本は、まさにそうです。

第四章　宗教と人類の未来

一神教の危険性は人間中心主義にあり　梅原

二〇〇一年九月十一日に起きたアメリカの同時多発テロ事件からアフガニスタンでの戦いまでを見ていますと、これは一神教同士の、血を血で洗う戦いですね。その根源はじつに深いのです。ユダヤ教もキリスト教もイスラム教も、思想の基本はいずれも『旧約聖書』にありますので、いまあらためて『旧約聖書』を読み返しているのですが、これほど立派な本はないように思います。法律も道徳も詩歌もすべて含まれている素晴らしい歴史書です。

そこからさまざまな人類の文明が生まれてきた。近代文明もそこから生まれたといってよいでしょう。『旧約聖書』に基づく一神教の価値観によるものです。それは非常に素晴らしいことだと思いますが、しかし、一神教の価値観で「自分の神様だけが正しい」という主張を繰り返していたら、今後も世界は血で血を洗う状況が収まらないことになってしまいます。

一神教の基本は、『旧約聖書』にあります。『旧約聖書』では、エホバの神の選民であるユダヤの民はエジプトから、いまのイスラエルにあたるカナンの地にやってきます。このとき、エホバを信じる人たちは、他の神を信じるカナン人を皆殺しにして、そこに住み着いたのです。

自分たちの信じるエホバが唯一の正しい神だから、それ以外の神を信じる民族は皆殺しにしてもいいという思想が、そこにはあります。イスラムも同じで、イスラムにはアッラーの神以外はみな悪い神で、アッラーの神以外を信じる人は殺してもいいという教えがあるのです。

中世以後の西欧の歴史は、キリスト教とユダヤ教、イスラム教相互の、あるいはキリスト教のなかのカトリックとプロテスタントの、血で血を洗う戦いによって展開されてきました。人類の主流派の文明をつくってきたのは、この一神教の人たちです。その一神教の人たちが戦いの歴史を繰り広げ、それがいまも続いています。しかし、その一神教がいま問題になっているのです。

やはり他の神を認めることが必要です。とすれば、それは自ずから多神教になります。日本は八百万の神が存在する多神教的世界ですが、仏教もまた多神論ですから、日本人は自らの宗教感覚を取り戻し、多神教的価値観に基づいて人類の平和を考える思想を本気でつくるべきではないでしょうか。そんな気持ちが、あのテロ事件以来、非常に強くなりました。

もう一つ、一神教の危険性は、人間中心主義だということです。神様は人間を特別な存在としてつくった、それゆえ、人間は動物を支配できるのだという人間中心主義的な考え方がある。もし、人間が絶対だから動物はすべて支配できるといった考え方で、今後も人類の歴史が進んでいくとすれば、非常に危険ではないかと思います。それは環境破壊を促進する思想です。環境破壊を止めるには、生きとし生けるものは本来平等で、人間だけ特別なものではないという哲学が必要です。

キリスト教とイスラム教の戦いなのか　稲盛

こんな考え方はどうでしょうか。

私は、同時多発テロ事件に端を発したアメリカとタリバンとの戦いというのは、たんにキリスト教とイスラム教の戦いではないと思うのです。

資本主義は産業革命以来の歴史がありますが、当初は敬虔なキリスト教徒、とくにプロテスタントの人たちがその担い手であり、マックス・ウェーバーがいったように、高い次元の倫理観を伴うものでした。

しかし、時代とともに変貌を遂げてきました。今日では、アメリカで資本主義を担っている産業界の人たち、また政治家の人たちにしても、彼らに対するキリスト教の影響力は非常に小さなものとなり、教会の力にも陰りが見えるように思います。

そうしたなかで、人々は次第に、キリスト教が説く「愛」の精神を忘れ、自己の利益だけを追求すればいいという方向に傾斜してきた。また、それで経済的には成功を収めたものですから、ますますキリスト教的な「愛」の精神は必要ないという風潮に変わってきたのです。

しかし、経済的な成功を収めた、アメリカをはじめ資本主義国の人たちはいま、何か空虚なものを感じているのではないでしょうか。不安に駆られているのではないかと思います。そのため成功を遂げた人のなかにも、慈善事業や社会貢献事業に対して寄付をすることで心の空洞を埋めようとしている人が多く出てきました。しかし、それだけではなかなか満たされない。本来は、そのような心の空洞を埋め合わせてくれるものが宗教であるはずなのに、それを軽視するようになってしまったものだから、心にポッカリと空洞が空いたままになっている。

一方、イスラム世界の人たちは、近代化に後れをとって資本主義も経済も発達しなかった。そのために貧しいまま現代を迎え、「自利」の追求がなかなか果たせない。その反動として、すべてをなげうって神に仕えるという、極端な「利他」の方向へ、つまり最も古典的で最も激しい原理主義的な宗教の世界へ向かわざるをえなかったのです。

いわば、タリバンとアメリカの戦いというのは、最も古典的な宗教観に凝り固まった集団と、宗教を喪失した集団との戦いとみることができるのではないか。もしアメリカという国家や社会がいまもキリスト教的な価値観に深く根ざしていたなら、あのような報復行動をとらなかったのかもしれない。私はそう考えています。

いまのアメリカは神なき一神教の国　梅原

稲盛さんがおっしゃったように、たしかに西欧の社会ではキリスト教の精神は失われようとしています。それが近代の精神です。その一方で、近代の資本主義の発展に乗り遅れたイスラム社会が極端に中世に帰ろうとしている。タリバンというのは神学生のことですが、これは中世の神学なんです。私はタリバンを見て、十三世紀に『神学大全』を著したトマス・アクイナスが突然現れたような衝撃を覚えました。

トマス・アクイナスは、アリストテレス哲学によってキリスト教を弁明するスコラ哲学を建てました。そこにはイスラムの思想の影響が多くあるとの指摘がされています。ギリシャ・ローマが滅んだ後、プラトンやアリストテレスの作品を保存したのはイスラムです。そのイスラムの保存したプラトンやアリストテレス哲学を使ってキリスト教の神学がつくられたのですが、その神学はデカルト以後の哲学で完全に否定されました。ゲーテの『ファウスト』では「あらずもがなの神学」といわれています。その神学が突如として現代史のなかに登場してきたのです。

その意味で、タリバンとアメリカの対立は、中世と近代の戦いだと思います。やはり中世の神学では、とても近代文明に勝てない。勝てないけれども、なぜ神学を復活するタリバンが近代文明の対極として出てきたのか、この点が重要ですね。

一方、西欧諸国やアメリカは、看板だけはキリスト教社会といっていますけれども、じつは脱キリスト教社会ですね。キリスト教というのは二面性を持っている。そもそもユダヤ教の考え方は「目には目を、歯には歯を」という思想です。ただしこれも「目には目、歯には歯」だけ、害を受けた分だけ復讐は許されて、それ以上の復讐をしてはいけないという、戦いの抑制の思想でもあります。

それに対してイエス・キリストは、ユダヤ教の「目には目を、歯には歯を」という思想を否定し、無抵抗の思想、愛の思想を説きました。それが素晴らしい文明を西洋にもたらしたのですが、キリスト教は外に向くとどうしてもキリスト教の母体であるユダヤ教的な「目には目を、歯には歯を」という考え方になる。たとえば中世の魔女裁判のように、自分たちの信仰を危うくするものはすべて抹殺してしまうというような思想がある。それがキリスト教の一面です。非常に素晴らしい愛の精神と、敵に向かったときのきわめて好戦的ですらある精神を持っているんですね。

その神を失った一神教の例がナチスだった。ユダヤ教に対する迫害は中世からずっとあったのですが、ナチスはキリスト教を信じなかった。いわゆる脱キリスト教的な社会を目指したわけですが、それがユダヤ教に対する憎悪をキリスト教から受け継ぎ、徹底的なユダヤ教に対する弾圧を行った。ナチスはキリスト教を信じませんが、旧約聖書的な一神論を強く受け継いでいるのです。いかなる神をも信じないユダヤ教的一神論がユダヤ教そのものの抹殺を行ったわけです。

キリスト教は、一神教として数々の宗教戦争を起こしてきた一方、愛の宗教でもあります。すべての人に愛を注ぐ、すべての人を憐れむという教えが、その教義の中心にあります。愛の心があるかぎり、世界が壊滅的な状態に陥ることはないと思うのですが、いまのアメリカには、愛の思想、無抵抗思想はほとんどありません。いまのアメリカは、もはやキリスト教の国ではなく、いわば国家を神と仰ぐ、ナチスドイツのようなキリスト教を信じない一神教の国になっているのです。

そこで信じられているのは、武力とお金だけです。神を失ったアメリカでは、武力とお金という現世的なものだけを信じる国になってしまったのです。

アメリカよ、宗教の原点を思い出せ　稲盛

梅原先生は、ラフカディオ・ハーンが明治時代に日本へきて、日本の民衆の優しい心に触れ、たいへん驚いたという話をされました。しかし、そうした心はもともと、日本人だけが持っていたものではないのでしょう。

キリスト教にしろ仏教にしろ、世界のどの宗教であれ、その教えのベースには、優しい、思いやりの心があると私は思います。それがキリスト教の場合は「愛」だったり、仏教の場合は「慈悲」だったりするわけです。

そうした優しい心が、われわれ人類社会を温かく包んでいるからこそ、たとえ厳しい自然環境のなかでも、人々は生きていくことができたのです。

ところが二〇〇一年の九月十一日に起こった、あの同時多発テロ事件から、アメリカ人の心が一変してしまいました。あの事件で、たしかにアメリカはたいへんな被害を受けました。何の罪もない人々を乗せた旅客機がハイジャックされ、そのまま超高層ビルに突っ込んで、数千人の命が奪われた。いままで誰も想像しなかった、恐ろしい行為でした。それに対して、アメリカの社会全体が、「これはもはや戦争だ」と憤って、アフガニスタンに侵攻したわけです。

アメリカ人の気持ちは、わからなくもありません。ただ、アフガニスタンへの攻撃や、その後の対応を見ていると、少し違うのではないかと思わずにはいられないのです。

たとえば、新聞報道を見ると、ブッシュ政権はイラクなどテロ国家とみなした国々に対し、場合によっては核兵器を使用することも辞さないかのような発言をしていました。こうしたことは、結局は怨念が怨念を生むことにしかならないと思うのです。報復が報復を生んで、とどまるところのない、永遠の憎しみを繰り返すことになるでしょう。

キリストは「右の頰を打たれたら、左の頰を差し出しなさい」といいました。これこそが「愛」の心であり、実際にキリストは自らを犠牲にして、磔刑（たっけい）に殉じたのです。

そんなキリスト教信者が多く住む国でありながら、今回のテロ事件では、報復のために、アメリカ合衆国の全国民が一つになって燃え上がりました。愛国心に燃えるということは、一見、聞こえがよいのですが、じつは非常に危険なことです。いまこそアメリカ国民は、キリスト教の原点を思い出す必要があります。

日本は戦前、一瀉千里に軍国主義の道を歩んでいきました。このとき、誰もそれに反対することはできませんでした。状況こそ違え、同じような危険性を、いまのアメリカに対して私は感じます。いまのアメリカで戦争反対を唱えるのは、非常に勇気のいることです。しかし、力をもって力に報いることでは何の解決にもなりません。

こうしたことは、現在のパレスチナに対する、イスラエルの対応も同様のことです。いまこそ宗教の原点に帰ることが大切であり、直接利害を伴わないわれわれ日本人だからこそ、そのために声をあげなければなりません。

憎しみの哲学からは憎しみが拡大再生産されるだけ　梅原

「戦争反対」を唱えにくい雰囲気は、日本でも感じます。いま世界全体が、そんな空気を持ちはじめているのです。そうした動きに批判の声をあげるのは、いまのアメリカでは無理だし、日本でもやりにくい空気を感じます。そんななかで、実業家である稲盛さんが、「いまのアメリカはおかしい」とはっきりいわれるのは、非常に勇気ある発言で、私は全面的に支持します。

では今後、平和な世界をつくりだすにはどうすればいいかですが、力で世界を支配するのは無理でしょう。力の支配とは、「目には目を、歯には歯を」ということです。これはキリスト教とは反対の精神です。

先ほども申し上げたように、「目には目を、歯には歯を」はユダヤ教の精神ですが、これは「やられたら、やりかえす」というだけでなく、復讐を制限する意味もあります。目をやられたら、目しか潰してはいけない、歯をやられたら、歯しか攻撃してはいけない、それ以外の復讐は許されない。これが『旧約聖書』の考え方です。また、イスラムの考え方でもあります。ですから、テロによりひどい攻撃を受けたからといって、核兵器で応戦するというのは、『旧約聖書』やイスラムの原則からも外れているのです。

かつてマルクス主義が全盛だったころ、私はこれを真っ向から批判しました。当時、マルクス主義を批判する人は少なかったので、私は保守反動のたいへん悪い人間のようにいわれました。

しかし、私がマルクス主義を批判したのは、マルクス主義には憎悪を神格化する哲学があると思ったからです。憎しみは拡大再生産されます。ひどい例はカンボジアのポル・ポト政権による大量殺害でしょう。憎しみの哲学からは、さらなる憎しみが生まれるだけです。

いまのアメリカも、その意味ではマルクス主義と同じ憎しみの哲学によって支配されていると思います。アフガニスタンを破壊し、いまイラクにも攻撃をしかけようとしている。それは憎しみの拡大再生産しかもたらしません。そんな考え方で、人類がこの先やっていけるかというと、私は大きな不安を感じます。

イスラエルにも必要な「利他」と「忍辱」　稲盛

アメリカとタリバンの戦いが終結しても、憎悪だけは尾を引いていくでしょうから、テロはこの先も絶えないと思います。むしろ、火種がますます内に籠もっていくようなことになるのではないでしょうか。そのようなことを考えると、私はいま、アメリカに高邁な哲学者が現れて、あらためて、もともとキリスト教が説いてきた精神や倫理観を実生活のなかに取り込み、それをもとに社会を再構築するような新しい運動を起こすことが必要だと思います。

一方、アフガニスタンや周辺のアラブ諸国に対しては、われわれ先進国が、彼らの生活を少しでも豊かにするよう、積極的に経済協力を行うべきでしょう。そうしなければ、古典的な原理主義に凝り固まった人たちは、いつまでも決して心を開いてくれないはずです。

私は、そのように、まずは彼らに「何をしてあげられるか」を考えることが大切であり、そうすることではじめて、彼らをして「自利利他」に向かわせることになると考えます。

とくにパレスチナをめぐる争いは、長い歴史を経るなかで「深い」怨念が込められています。その怨念を拭い去るためには、先進国の人たちがイスラエルに対して、戦後、先祖伝来の地に戻れたことを感謝すること、また武力を使ってパレスチナ人を威嚇するような考えは改めるよう説くことが必要なのかもしれません。

イスラエルの人たちは、ここはもともとわれわれの土地であり、われわれにはここで生きる権利があるとおっしゃるのかもしれません。

しかし、現実に近代になって、パレスチナ社会のなかに割って入るかたちで建国したことは事実ですから、そのような機会が与えられたことに感謝し、そのことで何らかの害を被ったパレスチナの人たちに思いやりをもって接するという、「利他」の心を持ってもらいたいと思います。さらには、たとえ嫌がらせをされても耐えるという「忍辱」も、イスラエルには大切になると思います。

現実には、そのようにイスラエルを説得することは難しいでしょうが、あえて利害がないわれわれが、そのようなことを説きつづける必要があるのでしょう。

人類が最初につくったのは「森の宗教」　梅原

憎悪が憎悪を呼び、血を血で洗う歴史が展開されようとしています。そこで思い出すのは、お釈迦様のいわれた「業」という思想です。結局アメリカ・イスラエルとアラブ諸国が憎しみ合うのは、はるか昔からの因縁をいまも引きずっているからです。だからといって放っておいたのでは、憎しみはさらに深まるばかりです。ここで、過去から引きずっている因縁の楔（くさび）を切る必要があります。

ただし、この因縁の楔を切ることは、容易なことではないでしょう。どこかで核兵器が使われて、人類の半分が死んでしまうといった最悪の事態にまでならないと、人類は目覚めないような気もします。

もちろん、そうなる前にいまの流れを変えたい。そのための思想をつくりたいというのが、いまの私の願いです。できればあと五十年かけて、新しい思想をつくっていきたい。もっとも、いま私は七十七歳ですから、五十年というと百二十七歳です。そこまで生きるのは無理ですから、せめて半分の二十五年かけて、百歳ごろまでに、次の人類が持つべき思想をつくりたいのです。

そこで思想の中心になるのは、やはり多神教です。一神教というのは、いわば砂漠の宗教です。砂漠という何もないところで生きていくためには、超越者を持つことが非常に重要でした。

しかし長い歴史から見たとき、人類が最初につくった文明は「森の文明」で、最初の宗教も、そこから生まれた「森の宗教」なのです。「森の宗教」は、多神教です。森には神がたくさんいます。これらの神を統一する神はありますが、他の神を排斥する唯一神はありません。

多神教であれば、自分たちの信じる神以外の神も認めることができます。そこには寛容の精神があるからです。一神教は、いわば自分たちだけが正しいという、正義の宗教です。一方、多神教は相手を認める、寛容の宗教なのです。

それが人類が最初に生み出した宗教であって、二十一世紀はそういう宗教に戻る必要があると思うのです。もう残り少ない人生ですが、そんな哲学をこれからつくるのが、今後の私の課題です。

日本が中心となり世界宗教会議の実現を　稲盛

仏教が入ってくる以前から、日本には土着の信仰がありました。それが梅原先生のいわれる「森の宗教」で、そこには非常におおらかな精神があり、多様性があった。だからこそ、多神教の仏教と同化したのでしょう。

しかも、このとき日本人は、昔から自分たちのそばにいた神様を捨てるのではなく、仏と一緒に奉りました。そこにやはり、日本人のなかにある「森の宗教」らしい寛容さを感じます。

そんな優しく寛容な日本人が中心となって、世界のさまざまな宗教が一堂に集う国際会議のようなものを開催することはできないものでしょうか。こんなことをいうと、夢物語と笑われるかもしれませんが、過去にも京都で、二、三の宗教家が、世界宗教会議のようなものを開かれたことがあります。これをさらに拡大して、民族固有の特定の宗教も含め、全世界のあらゆる宗教家に集まっていただくのです。

どんな宗教であれ、そこには「愛」という共通の思想基盤があるはずです。その「愛」の精神だけを抽出して、人類を救う、普遍的な新しい思想をつくっていくことはできないでしょうか。

すべての宗教が「矛盾の一致」を受け入れるとき　梅原

それができれば、もちろん素晴らしいことです。ただ、いまでも全世界の諸宗教者が参画する「世界宗教者平和会議」という組織は存在しますが、テロ撲滅や民族紛争を解決できるほどの影響力はありません。本来は、まず「人類を救う」といった共通の目的を持って、お互い意見を言い合い、烈しい議論を戦わせていく必要があるのです。

そのとき日本の仏教も重要な役割を果たすべきなのですが、悲しいかな明治以来の廃仏毀釈によって仏教は精神性を失い、世界の宗教と議論できるような理論もエネルギーも持っていません。

他の宗教との対話を試みるということでは、カトリックにその歴史を見ることができます。ルネッサンス時代に活躍したドイツの哲学者であり神学者でもあるニコラウス・クザーヌスという人物がいます。彼は「矛盾の一致」という理論を説いた。「矛盾の一致」とは、キリスト世界とイスラム世界の共存を説く理論です。彼はイスラム教とキリスト教は矛盾するけれど、それは共存しなくてはならないと考えて、「矛盾の一致」という理論をつくったのです。

そのクザーヌス理論を採用したのが第二次世界大戦後のカトリック教会で、仏教もイスラム教えます。

も認めようという立場に立っています。プロテスタントのほうが一神教的排他的性格が強いといえます。

他の宗教を認めることは、一神教でも多神教的になることです。いずれにせよ、カトリックという一神教が、他の宗教との対話に非常に熱心なのですから、日本も協力して、「人類の危機を解決する方法を考えよう」と他の宗教家たちに呼びかけていくべきではないでしょうか。

これは、戦争を避けるためだけではありません。環境問題に対応するためにも、ぜひ必要なことです。アメリカはブッシュ政権（当時）になって、地球温暖化防止に向けて温室効果ガスの削減目標を定めた京都議定書を批准しないと発表しています。経済に与えるダメージが大きいというわけですが、世界最大の国がこんな行動をとってはいけません。しかも日本はこれを非難するどころか、アメリカが守らないなら、自分たちも少しぐらいいいのではないかと、目標の達成をサボろうとする気配が見られます。

京都議定書を守ることは、経済にとってはつらいことかもしれません。しかし地球の将来を考えれば、二酸化炭素はできるだけ出さないといったモラルをきちんと守る必要があります。

そのモラルよりも経済を大事と考える背景には、やはりキリスト教の人間中心の思想があるのでしょう。人間だけが理性を持っていて、あとの動物はどうでもよい、殺しても滅ぼしてもかまわないという、そんな考え方があるのです。そのアメリカは、近代思想を受け入れて豊かな国を築いたのですが、そこには自国中心主義あるいは人間中心主義への反省はまったくありません。いちばん反省のないのがアメリカで、その次はおそらく日本でしょう。

アメリカには『沈黙の春』のレイチェル・カーソンのように、環境問題について大きな警告を発している人もいます。しかし、それが大統領の意見にはならないのです。そんな現状を考えると、あと二十年後か五十年後か百年後かわかりませんが、世界の基礎がガタガタと崩れて、大きく崩壊する日が来ざるをえない気がします。

いま人類が目覚めなければ地球は修羅場になる　稲盛

たしかに、世界はいま危機に瀕しています。もしいま人類の英知によって、新しいモラルを確立し、世界平和を実現しなければ、地球は修羅場と化してしまうかもしれません。それは、人類を滅亡に導く核兵器による最終戦争かもしれませんし、あるいはエネルギー問題や環境問題から引き起こされる人類の破滅かもしれません。

そんな悲劇のなかに放り込まれるまで、人類は目覚めることができないのか。そうなる前に、みんなで英知を出し合い、解決することができないのか。いままさにその瀬戸際に人類は立っていると私は思います。

とくにいま、アメリカのような超大国が、自国のことしか考えず、人類の危機を招く中心的な存在となっているのですから、事態はきわめて深刻です。

ぜひいま、人類の危機に危惧を抱く人たちを糾合して、いまだ目覚めない人たちに反省を促す動きを起こさなければなりません。とくに宗教家や信仰を持っている人たちにとっては、それは果たすべき義務ともいえるでしょう。

世界が荒れ野になったときのための思想をつくれ　梅原

私自身はいまの世界について、「ひょっとしたら、もうダメではないか」という気持ちを強く持っています。しかし荒れ野になったからといって、それで終わりではありません。荒れ野になったら、そこから立ち上がればいいのです。そのための思想を、われわれは用意する必要があるのです。

もちろん、そうならないための思想も大切ですが、荒れ野になったときのための思想も必要なのです。そこまで先を読んで、「人類のための新しい思想」を考えなければならないと思っています。それぐらいの危機感が、私のなかにはあるのです。

小泉純一郎首相（当時）をはじめ、政治家たちを見ていても、こうした問題に対して真剣に考えている人はいません。実業家でも、私のいうことを理解してくださるのは、稲盛さんぐらいです。今度、稲盛さんはアメリカでそうした問題に取り組まれると聞いていますが、これは素晴らしいことです。

リーダーの資格を失ったアメリカで真のリーダーを養成する　稲盛

私は、二十七歳のときに京セラを創業して以来、経営者として「リーダーシップとは何なのか」「リーダーとはどうあらねばならないのか」などということについて、毎日考えてきました。京セラは順調に発展を遂げることができましたが、会社が成長すればするほど、リーダーとして、増えつづける社員をどうすれば幸福にできるかと悩み、私は自問しつづけていました。

そして、一九九四年に、およそ四十年間の経験をもとに自分なりのリーダー像というものをまとめ、『新しい日本 新しい経営』という著書の一節にまとめさせていただきました。すると、その本が英訳され、それを私の古くからの友人であり、当時ＣＳＩＳ（戦略国際問題研究所）の所長をされていた、デイビッド・アブシャイア氏が読まれたそうです。

そして、私に「あなたが述べられているリーダー論に感銘を受けた。現在、世界ではあまりリーダーのあり方について論じられていないが問題だ。たとえば、米国の大統領には強大な権力が与えられているが、それは初代大統領ジョージ・ワシントンが素晴らしい人格を持っていたからだ。しかし、それほどの人格を持った大統領はその後、残念ながら生まれていない。にもかかわらず、どの大統領にも同じような強大な権力が与えられている。このような大統領のあり方を含めて、ぜひ〝リーダーはいかにあるべきか〟ということについて、世界の有識者と真剣に議論する場を持ちたい」というお話がありました。

私も、以前より、リーダーのあり方については強い関心を持っておりましたので、その趣旨に賛同し、一九九九年の四月にワシントンＤＣで、「リーダーシップ、創造性、価値観会議」と題したシンポジウムを開催したのです。

二十世紀は、科学技術の進展により、先進国を中心に物質的な豊かさを広範に享受できた世紀であった半面、二度にわたる世界大戦をはじめ、多くの戦乱、紛争が生じ、また環境破壊や富の偏在など新たな課題も生まれ、人類が多大な苦しみを味わった時代でもありました。

二十一世紀は、このような問題が解決され、世界中のすべての人が平和を享受し、物心の両面において、真に幸福になれる世紀であってほしいと心から思います。そのためには、政治や企業活動などあらゆる分野で、信頼され、尊敬される素晴らしいリーダーを輩出することが不可欠なのです。このことから、人類を救うような真のリーダーの育成を目指した機関が必要だと強く感じ、アブシャイア氏と共同で、「リーダーシップアカデミー」をつくったのです。

現在（二〇〇二年）のCSISの所長は、元国防副長官のジョン・ハムレ氏ですが、彼もアメリカのいまの風潮を嘆いています。国民の誰もがブッシュ大統領の意見に盲目的に従っていることに懸念を表されているのです。

「リーダーには、指導することと聞くことの両方が必要だ。しかし、いまのアメリカは人の意見を聞くことを忘れて指導だけを行っている。これはリーダーとしての資質を失っているということでもある。口は一つだが、耳は二つあるのだから、世界のリーダーたらんとする国家なら、なおさら人の意見を聞かなくてはいけない」と彼はいうのです。

アフガン攻撃に賛成するのは「どんどん殺せ」というのと同じ　梅原

ハムレ氏のような人物がいるというのは、まだアメリカにも良心が残っているといえます。少しは希望が持てる気がしてきました。ただ、その良心が、ほんの一握りの人のものになってしまっているのは確かです。大多数の人は、ちょうどヒトラーのナチスに従うかつてのドイツ国民のようになっているように思われます。「ハイル・ブッシュ」とはいいませんが、私は何かアメリカ自体が低い声で「ハイル・ブッシュ」と叫んでいるような気がして仕方がありません。

いまのブッシュ人気は、同時多発テロ事件から始まったのですが、私の友人にも「どんどんやれ」とブッシュを激励した人がいました。そういう人たちの気が知れませんが、しかし私のような、そのことにはっきり異を唱える人のほうが少数派なのです。日本のインテリでも、アメリカに異を唱える人は、ほんの少数しかいません。本来なら反対するはずの左翼まで黙っていて、いったい左翼はどこへ行ってしまったのかと嘆きたくなります。

「どんどんやれ」というのは、「どんどん人を殺せ」といっているのと同じです。それを日本のインテリたちがいうのは、やはりおかしいのです。たしかに戦後日本はアメリカのお世話になって発展してきたし、安保条約も結んでいます。アメリカを援助するのは結構ですが、盲目的にアメリカを礼賛するのはやめてほしい。

小泉首相にしても、そうです。「あの世界貿易センタービルの崩壊で数千人が死んだけれど、原爆による被害はもっとひどかった。二〇万人を超える民間人が犠牲になったけれど、それを忘れて、戦後お世話になったので、今回はアメリカに協力します」と、そんな言葉をいってほしかったです。無理なことかもしれませんが、せめて心のなかではそう思ってほしいものです。小泉首相が心のなかですら思っているように見えないのが、私には悲しいのです。

原爆を体験した日本だからこそアメリカにいえること　稲盛

まさに、そのとおりです。今回のタリバンへの攻撃では、アメリカは非戦闘員に対しては、なるべく危害を加えないようにしました。もし誤爆で民間人が死んだとなれば、世界中の世論が騒ぐとわかっていましたから、戦闘員のみを相手にしたピンポイントの爆撃を行いました。

しかし、第二次世界大戦での日本に対する空襲は、まさに非戦闘員を殺すためのものでした。東京大空襲では、たった一晩で一〇万人が死んでいますし、原爆では一瞬にして二〇万人が死んでいるのです。

そんな目に遭いながら、日本人は、アメリカに対して恨みごとをほとんどいいません。「原爆反対」「原爆禁止」とはいっても、直接アメリカにいうわけではありません。これに対し「日本人は甘い」という声も世界にはありますが、私は逆に、非常に偉いことだと思うのです。相手の行為に対して、いくら恨みごとを並べたところで、そこからは何も生まれません。より悲惨な結果を招くだけです。

そのような日本人だからこそ、今回の同時多発テロ事件では、アメリカにもの申す資格があると思うのです。「日本人は恨みに対して恨みで返しません。だからアメリカも耐えてください」と、これぐらいのことはいってもよかったのではないでしょうか。

これまでアメリカは、南北戦争以来、自国が戦場になるような経験をしていません。直接、被害を受けた経験がないだけに、あのようなかたちで数千人が殺され、心の平静さを失っているのでしょう。ですから、なおさら戦火で国が焦土と化した日本が、冷静な目を持って、警鐘を鳴らさなければならないと強く思うのです。

憎悪の連鎖をお釈迦様の精神で断ち切れ　梅原

ひるがえってみると、二十世紀にはわれわれの社会が便利になったし、生活が豊かになったし、人間の寿命も延びた。けれどもその一方で、二十世紀ほどひどい殺戮があった時代はないのではないか。二十世紀の大きな事件を考えると、やはりロシア革命があります。このとき、どれだけの人が殺されたかというと、おそらく一〇〇〇万人はくだらないでしょう。中国でも、毛沢東が中国を統一する陰で、どれだけの人が殺されたかわかりません。文化大革命だけでも、一〇〇〇万人は死にました。そう考えていくと、社会主義革命は、世界で一億人ぐらいの人間を殺しているはずです。

また二十世紀は、ナチスドイツも誕生しています。ナチスの正式名称は「国家社会主義ドイツ労働者党」ですから、やはり社会主義なのです。これがまた、ユダヤ人を大量虐殺しました。さらにはアメリカも、原爆をつくりだして日本に落としましたし、その日本も中国をはじめアジアで大勢の人を殺しています。

こうして見ると、近代国家には、罪のない国家はありません。どの国も大量殺人を行っているのです。そういう人類が犯した誤りをなくそうというのが二十一世紀の願いであったはずなのに、不吉な事件で幕を開けてしまった。

その際、日本が世界に向けてなすべきことは、お釈迦様の精神を説くことです。それによって、少しずつ憎悪の連鎖を断ち切るような活動を進めていくしかありません。

お釈迦様は、出家して三十五歳のときに悟りを得ますが、その後、自分の国を滅ぼされて、親族も皆殺しにされました。それでも、長きにわたる人間の憎悪の連鎖を超えるべきだと、自分の思想を変えなかった。その思想を一言でいえば「四諦（したい）」です。「四諦」とは、苦諦（くたい）（人生は苦であると悟ること）、集諦（じったい）（苦の原因は愛欲であると悟ること）、滅諦（めったい）（愛欲を滅ぼすことを悟ること）、道諦（どうたい）（愛欲を滅ぼす方法＝規則を守る、集中力を養う、知恵を磨く＝を悟ること）です。苦しみは愛欲から生じますが、愛欲は人類の長い因縁によって生じたものである。その歴史的な愛欲の業を断つのが釈迦の涅槃（ねはん）の思想です。

浄土宗の開祖・法然も同じです。地方武士の子供として生まれ、少年時代に家が夜襲されて親を殺されましたけれども、自分は殺し合いの世界から離れた世界で生きる仏教者として、殺し合いや憎悪の連鎖を超えようとした。そこから念仏を唱えて極楽浄土に往生する思想が生まれたわけです。

たしかにニューヨークの世界貿易センタービルが一瞬にして崩れた光景は忘れられないでしょう。だから、しばらくは憎悪の連鎖が続くと思います。けれども、それを超える必要があるということを、いつかアメリカ人も理解してくれると思います。逆にいえば、お釈迦様や法然の精神を世界の人に理解してもらえるように、日本人は自分たちのなかにある仏教的価値観をきちんと整理して、それを堂々と世界に発表すべきです。二十一世紀が進み、世界の荒廃の様子がひどくなると、必ずそういう思想が人類の共感を呼びます。

テロを反面教師として人類が反省するとき　稲盛

日本は、第二次世界大戦後の廃墟のなかから復興し、世界で最も豊かな国になったといわれています。このような今日の繁栄を招くことができたのは、国民自身の努力もさることながら、戦後諸外国からの心温まる支援があったからです。

経済発展を遂げ、世界第二位の経済大国となったいま、国際社会において、そんな日本が、国力に応じた役割や責任を果たすことは当然です。国力が増せば増すほど、寛容さや謙虚さや思いやりを持った国策をとることが、世界の国々と協調していくためには不可欠なはずです。

私が部会長として携わった、第三次行革審（臨時行政改革推進審議会）の「世界の中の日本部会」が作成した、対外政策の基本理念は、次のようなものでした。

「今日の経済的繁栄を築くことに成功したいま、わが国は博愛と人類愛の精神に立って、自らは犠牲を払ってでも（経済力をはじめ、持てる能力を活かして）国際的に貢献することは当然のことである。日本には世のため人のために尽くそうという精神も古来存在していることを銘記すべきである」

このようなことは、これから国際社会のなかで生きていかねばならない日本人一人ひとりが真剣に受け止めなければならないものであろうと思います。

国家や民族が異なれば、文化も価値観も違う。しかし、人間の本質は洋の東西を問わず、同じはずです。キリスト教社会では「愛」が説かれ、仏教社会では「慈悲」が説かれ、また日本では古来「情けは人のためならず」と相手のために尽くすこと、すなわち「利他」の重要性が教えられてきました。

このように、相手を思い、共に生きようとすることこそが、素晴らしい人間社会を築き上げるために大切なのです。

現在、世界で起こっている問題も、突き詰めれば、この相手を思いやるという、人間として最も基本的な倫理観を忘れ、あまりに自国の、また自分の利益だけを考え、行動していることにあるのではないでしょうか。

そういう点ではやはり、人間が本来持っているべきその「思いやり」を、もう一回呼び覚ますような運動が世界各地で起こってほしいと願っています。いみじくも同時多発テロが二十一世紀の幕開けとなりましたが、これを契機に、新世紀では人間の精神性こそが大切であり、それはどのようなものでなければならないかという議論が世界中から起こってくるのを私は期待しています。テロを反面教師として、人類が反省する機会になればいいと心から願います。

第五章

哲学をベースとする社会を

手工業が当たり前の陶器を工業と結びつけた発想とは　梅原

最後に、稲盛さんにお伺いしたいと思ったのは、創造性についてです。

私はこれまで、ずっと学問や芸術畑を歩いてきましたが、日本の人文科学者のなかでは、創造性について発言できる数少ない一人だと密かに思っています。稲盛さんもまた日本の実業者として、ほんとうの意味での創造性を発揮した数少ない一人でしょう。

稲盛さんが手掛けられたセラミックとは、陶器のことです。いままでの常識で考えると、陶器は手工業の世界でつくるのがふつうです。そして工業製品というよりは、芸術品に近いものでした。その陶器を工業と結びつけたのは、いってみれば常識を破ったわけです。なぜ、そのような発想が生まれたのか、そのへんのお話からお聞かせいただけますか。

発明とは「知恵の蔵」から漏れてきた真理を表現したもの　稲盛

私の置かれた環境が、セラミックの研究にとって、決して恵まれたものではなかったことがかえって幸いしたのでしょう。

私は大学を卒業して碍子（がいし）メーカーに入社しましたが、そこでは旧来のセラミックしか扱っていませんでした。そこで私はいきなり、ニューセラミックと呼ばれる新しいセラミック材料の研究をすることになりました。

ところがその会社には、ニューセラミックの研究に必要な装置がほとんどありません。セラミックの研究には、成分を同定(どうてい)するための装置や、結晶の状態を見るためのX線構造解析装置、熱天秤など、さまざまな測定装置が必要です。ところが私の入った会社には高価な測定装置はなく、せいぜい熱膨張係数を測る測定装置と熱天秤ぐらいしかなかったのです。

新しいセラミック材料をつくるには、どの原料をどのように混ぜ、どのように焼成すれば、どういうものができるかをまず考えます。それに従って実際に焼成してみて、その結果、狙いどおりのものになったかどうかを検証していきます。それにはX線構造解析装置など高価な装置がどうしても必要になるのですが、その肝心の測定装置がなかったのです。

そのうえ、研究に携わる当時の私は、セラミックについて十分な知識を持ち合わせていませんでした。私の大学時代は、ちょうど終戦後、石油化学工業が大発展を遂げようとした時代であり、化学といえば石油化学、つまり有機化学を志す学生が非常に多かったのです。私もご多分にもれず、有機化学を専攻していました。ところが石油化学系の会社に就職できず、焼き物、つまり無機化学系の会社にしか入れなかったのです。そこで、旧来のセラミックについてさえもあまり勉強していない私が研究部門に配属され、当時まだ確立されていなかった新しいセラミック材料の合成にあたることになったのです。

ふつう新しい材料の研究をするには、関連の文献をすべて読んで、知識を十分に蓄えたうえで進めていきます。その知識の延長線上で、「これとこれを組み合わせれば、こういうものができるのではないか」と、実験をしていくことが多いのではないかと思います。

ところが私の場合、そんな基礎的な知識すらもなかったのです。ですから手当たりしだいに実験を進めていくことになりました。毎日毎日、手を替え品を替え、実験を繰り返していったのですが、不思議なことに、わずか数カ月で、私が狙っていたフォルステライトという新しいセラミック材料を合成することに成功したのです。

私の勤めていた会社には、先ほどもいったように測定装置がありませんから、物性を調べるにあたっては、工業試験所へ出向き、同定してもらい、最終的に合成が成功していたことがわかりました。

この材料を使った部品が、松下電子工業（当時）のブラウン管の絶縁材料に採用されることになったのですが、当時の私の知識や会社の研究設備を考えると、成功したことが不思議でしょうがないのです。どう考えてみても、そんなものができるとは思えない。私がつくったフォルステライトは、ちょうどその一年ほど前に、アメリカのＧＥ（ゼネラル・エレクトリック）の研究所で、世界ではじめてつくられたといわれるほどたいへん難しい材料だったのです。

また、あとで調べてわかったことですが、ＧＥと私がつくったものはまったく同じものであるにもかかわらず、その合成方法は異なり、私の方法論はまさにオリジナルなものでした。

そのようなことを思うとき、私にとって最初のファインセラミック材料となるフォルステライトの開発は、いってみれば、まるで歩いていたら大きな石に当たったような感じさえ受けるのです。知的な作業を合理的に進めていた結果、そこにたどり着いたというのではなく、知識もないまま手当たりしだいに、いろんなことを試しているうちに、〝まぐれ〟で当たったものであるかのように思えるのです。

さらに不思議なことは、「こんなことはもう起こらないだろう」と思っていたら、その〝まぐれ〟が、後々もずっと続いたことです。私は、人生のいろいろな場面で、このまぐれ当たりに遭遇しました。このことを私は、神様あるいは「サムシング・グレート」というような存在がつくった、「知恵の蔵（真理の蔵）」ともいうべき場所がどこかにあって、私たちのひらめきや発想は、その蔵から出てくるのではないかと考えたことがあります。

その「知恵の蔵」に行くには、何も専門的な知識がなくてもいいのです。ある状態のときに、その蔵から漏れてきたものに触れ、新しいイマジネーションなり、ひらめきなりが得られるのではないかと思うのです。

そう考えないと、私のような知識や経験のない者が、十分な設備のないなかで、世界に先駆けた発明などできるはずがありません。私は若いころに、そんな不思議な経験を何度もして、そのように考えるようになりました。

また、このことを強く感じましたのは、若いころ、ヨーロッパに行ったときです。ドイツのある街で、地下鉄の駅からローマ時代の遺跡が発掘されたというので、見学に行きました。そこにはタイルでつくられたモザイク状の石畳が残っていたのですが、これがほんとうに素晴らしい色彩と図案で構成されており、現代の一流の作品と比べてもまったく遜色ないものでした。現在も優秀なデザイナーたちがさまざまな図案を発表していますが、同じように優れたものを、ローマ人はおよそ二千年も前に描いていたのです。

これも、優れたデザインの源ともいえる「知恵の蔵」がどこかにあって、そこからにじみ出たものにたまたま触れた人がローマ時代にも現在にもいた、ということではないでしょうか。つまり、われわれ人類が新たに創造したように見えるものも、もともとは宇宙の「知恵の蔵」のなかにあるもので、それをある状態に至った人々が受けとっただけのことだと思うのです。

エジソンにしても、決して知識をたくさん持っていたわけではありません。それなのにひらめきにひらめきを重ね、現在の電気工学の基礎を完成させ、蓄音機から電球まで、現代にも通じるさまざまなものを発明していきました。これはまさに、宇宙の「知恵の蔵」から漏れてきたものをエジソンが感じとって、それを表現したということではないでしょうか。そうでも考えなければ、あれほど次から次へと、インスピレーションを重ね、発明を続けてきたエジソンの業績を理解することはできません。

アインシュタインにしても同様です。こうしたクリエイティブな業績を残した天才たちは、みな選ばれし人々で、彼らは創造主から「知恵の蔵」への道を教えてもらったのかもしれません。

そんな彼らが、創造性を発揮して、人類や社会をリードしてくれているように私は思うのです。何のことはない、創造とは宇宙の創造主がそういうふうに知恵を分配してくれて、よき方向に人類を導いてくれている、そんな感じがするのです。

私が好きな言葉は「真理は手近に隠れている」　梅原

新しい発見や発明をするには、いろいろな苦労があったはずですから、いまのお話にはずいぶん謙遜の部分もあるでしょう。それでも人間が、何か大きなものに対する謙虚な心を失わないことは、やはり重要だと思います。人間が多少のことをしたとしても、宇宙的な視野で見れば、何ほどのものでもない。そんな反省をつねに持つことは、人間が進歩していくためには大切です。

私が昔、湯川秀樹先生からよくいわれたのは、「梅原君、学者というのは知識をたくさん蓄えるものだ。しかし創造というのは、その知識を忘れないといけない」ということでした。知識がなかったら創造はできないのですが、創造するには知識を忘れて、それにとらわれないことが重要だというのです。

いま稲盛さんは、知識がなかったから新しいセラミックがつくれたといわれましたが、同じことは私の法隆寺や柿本人麻呂の説についてもいえるでしょう。私は、法隆寺の再建は聖徳太子の怨念を封じ込めるために行われたと考えました。また柿本人麻呂は、流罪となって刑死した人であると考えました。しかし、これらの説は、学界の常識とはかけ離れたものでしたから、発表した当初は学界の権威たちから「こんなバカな説はない」といっせいに悪口をいわれました。

それでも私には、これらの説を発表するとき、「間違いない」という確信がありました。当時の私には何かが乗り移っていたようで、それが私を通じて語ったとしか考えられませんでした。

それだけに自信というより、「向こうから何かが語りかけてきたものだから、この説は間違いない」と思われたのです。

これらの説を発表してから、もう三十年になりますが、最近は正面きって否定する人はいなくなりました。「真理である」と認めるのは癪なので、みんな黙っていますが、いまでは学界でも定説となりつつあります。

私がこれらの経験からいえるのは、「真理はいつも発信されている」ということです。ただし、受け止める側が常識にとらわれていると、たとえ真理が発信されていても、それをきちんと受け止めることができません。やはり向こうからくるものを謙虚に受け止める裸の心が必要です。それが真理を発見する第一の条件であると、私には思えて仕方ありません。これは稲盛さんがいわれた、「真理の蔵」の話にも通じると思います。

私が人から何か書いてくれといわれてよく書く言葉は、「真理は手近に隠れている」という言葉です。真理はほんとうは近くに隠れているのだけれど、多くの人はそれに気づかないだけなのです。情報が発信されていても、それを受け止めるアンテナがないのです。あってもアンテナが私心でさびついていたり、欲望で曇っていてはダメです。そのアンテナを絶えずピカピカに磨いて感度をよくしておかなくてはなりません。

稲盛さんの場合も、ニューセラミックの開発にあたっては、「真理の蔵」から漏れてくるのを偶然、受け止めただけではないと思います。漏れてきたものをうまくキャッチする、裸の心があったからでしょう。

ないないづくしだったからこそ真理に触れることができた　稲盛

いまのお話で、少しわかったような気がします。やはり真理というのは、宇宙からつねに発信されているものなのです。そして、それを受け止められる人もいるけれど、大半は知識や常識といったもので凝り固まってしまい、受け止められずにいるのです。「空」というような状態に至ったとき、つまり知識や常識で武装するのをやめて、素直な気持ちになったときにはじめて、真理というものが受信できるのです。

「真理は手近に隠れている」と梅原先生はいわれましたが、これはまさに仏教でいう「衆生本来仏なり」ではないでしょうか。みんな自分のなかに本性として仏性を持っているのに、それに気づかずに、遠くにあるものと思い込んでいます。『白隠禅師坐禅和讃』の一節に、「遠く求むるはかなさよ」という言葉がありますが、みんな真理やクリエイティブなものは偉大なものであるだけに、はるか遠くにあるものだと思っています。しかし、決してそうではありません。創造性というものは、案外、われわれの身近にあるのです。

私の場合、先ほど知識や経験がないなかで、一生懸命研究したという話をしましたが、当時は生きていくのに精一杯という時代でした。私は、最初に入った会社で四年勤めたあと、支援をしていただいた方に、京セラをつくっていただき、十分な資金もないまま、二七名の従業員を抱えて、その経営に携わることになりました。

その瞬間から、自分一人だけでなく、従業員と資金を出していただいた方々すべての命運が、私の肩にのしかかってきたのです。当時の私は、ほんとうにたいへんな重圧を感じていましたので、自分の持てる力を振り絞って、必死にやるしか方法がありませんでした。知識もない、設備もない、資金もないという、ないないづくしでしたが、「何とかして、研究を成功させたい」という必死の思いだけはあふれるほどに持っていました。

そのため私は、寝ても覚めても研究に没頭し、いわゆる〝狂〟とでもいうべき世界に迷い込んでしまったかのような、ほんとうにすさまじい働きをしました。そのような強烈な思いで、ひたむきに仕事に取り組んでいたために、「知恵の蔵」から創造主が発信する真理に触れることができたのではないかと思います。

先ほど梅原先生がいわれたような、知識で凝り固まった自分自身を解きほぐし、素直になるということは、いわば真理を受信するためにアンテナをするすると高く上げることなのかもしれません。また、エジソンの次の言葉は、それを的確に表現しているように思うのです。

「天才は九九パーセントの汗と一パーセントのインスピレーションによる」

新しいことを成し遂げる原動力は、寝ても覚めても、一つのことを思いつづけるという強烈な思いと、ひたむきな打ち込みなのです。そのような九九パーセントの打ち込みという行為の果てに、ようやく一パーセントのインスピレーションがひらめくのです。

創造の領域で大切なのは、強烈な思いと打ち込みであり、それがなければ、ひらめきや霊感も決して得られないと私は思います。

着想したあとに求められる、実証するための努力　梅原

私の場合、稲盛さんのように養うべき従業員はいませんでしたが、必死で対象に取り組まないかぎり真理の声は聞こえないことは同じです。

法隆寺の場合は、法隆寺に何度も行きまして、法隆寺に関する本をほとんど読みましたが、よくわからないところがありました。それで仏像研究の大家に聞いたところ、法隆寺は新しいものが発見されれば発見されるほどわからなくなるということでした。

「わからない」「わからない」と十年ぐらい思いつづけていましたが、何気なく法隆寺の資財帳という法隆寺の財産目録を読んでいるとき、パッと新しい着想が出てきたのです。

それは聖徳太子の死後二十三年後、太子の子孫を法隆寺で皆殺しにした現地部隊長、巨勢徳太（こせのとこだ）が、法隆寺に年金のようなものを与えている。これはどういうわけか。それで思い出したのが、足利尊氏が、自分が吉野へ追いやり一家を滅ぼした後醍醐天皇の霊を慰めるために天龍寺を建てたことです。これと同じように、法隆寺は太子の一族を滅ぼした人たちが太子の怨霊を鎮めるために再建した寺ではないか。そういう仮説で法隆寺の積年の謎が解けるのではないか。それからねばり強い実証が必要です。法隆寺に関するあらゆる文献にあたり、何度も法隆寺をはじめ聖徳太子の所縁（ゆかり）の寺々を訪ねたのです。

反証となるものがあるかどうかを探す必要があります。一つでもそういうものがあったら仮説

は成り立ちません。そして法隆寺のすべての建物をそういう仮説で一つひとつねばり強く論証していく。これがまた、楽しい作業なのです。

真理ではないかと思われる仮説を発見した瞬間がいちばん楽しいけれど、この論証の労力も楽しい。

いまの日本は誰かの思いつきをみんなで潰す社会　稲盛

最初にあるのは、着想なのです。発明にしても発見にしても、すべて「思う」ということがまずありきなのです。「法隆寺は聖徳太子の怨念を鎮魂するために再建されたのだ」と自分が思う。なぜかと聞かれても、「ただ、そうだと直感した」というしかありません。そのような最初のひらめきは、まだサイエンスにはなっていません。「なんだ、あれは梅原猛の思いつきではないか」となるだけで、誰も相手にしてくれません。

ですから、次には、文献を調べたりデータを集めたりすることで、整合性を求め、自分の説を証明していかなければならないわけです。これにはやはり、力仕事ともいえる努力の積み重ねが必要となります。

多くの学者にとっては、この順序が逆になります。ひらめきが先ではなく、事実を積み上げるところから始まります。だから、小改良にすぎないものを新学説として発表されることになるのでしょう。そのようなやり方は、単なる事実の延長にすぎませんから、独創的な思想が生まれにくいのです。文献をたくさん読んで、博覧強記であることは、立派な学者の条件の一つでしょうが、それで独創的であろうとするのは難しいことです。

もちろん、思いつきばかりが先行して、地道な勉強をしないような人は問題外で、「あいつは思いつきをいっているにすぎない」と一蹴されてしまうことでしょう。天才的なひらめきを、努力の積み重ねで実際に証明してみせなければ、どんな分野でも一流にはなれないのです。

しかし、これからの日本を考えると、私は積み上げを尊重するよりも、ひらめきを大切にする社会であるべきだと思うのです。誰かが「こうではないか」とひらめいたとき、それをよってたかって、前例がないと潰していく社会ではなく、チャレンジを尊び、「お前がそう思うなら、それを証明してみろ」と後押しをしてくれるような社会であれば、日本のあらゆる分野で次から次へとクリエイティブなものが生まれてくるはずです。

着想を現実化させるには勇気も必要　梅原

実際、私の場合も「思いつき」を認めさせるのに三十年かかりました。私がこれらの説を出したときは孤独であり、専門の学者は認めませんでした。けれど他のジャンルの一流の学者がたいへん応援してくれました。たとえば、湯川秀樹先生とか中国文学者の吉川幸次郎先生とかが、「梅原のいうことは、正しいのではないか」と応援してくれました。そういう人が身近にいたことが、大いに力となりました。やはり学界の通説を根本的にひっくり返すような大胆な仮説を出すには、それを応援してくれる人の存在は重要だと思います。

稲盛さんの場合も、ある着想が浮かんでも、それを実際に開発するには、かなりの勇気がいるのではないでしょうか。そこには学問の世界とは、また違った苦労があると思います。

先人のいない分野で新しい製品をつくる難しさ　稲盛

先日、こんなことがありました。日本セラミックス協会の関西支部創立十周年の総会があり、私はスライドを使って、いままでに京セラが開発したセラミック製品について説明をしました。最初にこういう製品を開発して、次にこういう研究をして、といった話を一時間ほどして、その後は所用があったので、パーティを失礼して帰ろうとしたときです。大学の先生方が二、三人、「稲盛さん、久しぶりですね」と話しかけてこられました。

「次から次へと研究開発につとめ、それをすべて成功へ導いてこられた。説明をお聞きして、圧倒されました」とおっしゃるのです。私も当時を振り返り、帰りの車のなかで身震いを感じていました。

その先生方とは、ずっと以前、コンピュータに関する研究開発を一緒にやっていたのです。コンピュータには、超LSIという大規模集積回路が使われていますが、京セラはその前のトランジスタの時代から、半導体開発のお手伝いをしてきました。

当初は、トランジスタの基板となるセラミック部品をつくっていました。最初のうちは構造も単純で、単層の基板でよかったのですが、半導体の集積度の向上に呼応して次第に複雑になり、積層のセラミックＩＣ（集積回路）基板が求められるようになりました。それは、何層にもセラミックスの板を積み重ね、そのなかを電子回路が縦横無尽に走り、それがすべて電気的に通じているというものでした。

そんな複雑な構造のものをセラミックでつくれないかという要求を受けたのです。それができなければ、超ＬＳＩを心臓部とするコンピュータはつくれないといわれました。

このとき頭に浮かんだのが、シート成形というチューインガムみたいにしてつくるセラミックの基板でした。セラミックの原料を薄い板状にして、その上にタングステンやモリブデンといった、高温でも溶けない金属の微粉末をスクリーン印刷して回路をつくり、それを何層にも積み重ねていく。それを超高温で焼くと、なかに電子回路が何層にも積み重ねられた、積層のセラミック基板ができると考えたのです。

このように説明すると簡単に聞こえるのですが、実際にやってみると、たいへん難しいのです。そもそも何層にも重ねていくものですから、セラミックＩＣ基板の一枚一枚は非常に薄い板でなければなりません。しかも電気の通り路となる穴の径は数十ミクロンという微細なものであり、さらには、その穴を小さな基板の上に、何百個と開けていかなければならないのです。もちろん、その一個一個についても、たいへんな精度が要求され、たった一カ所でも導通の不具合があれば、不良品になってしまいます。セラミックの製造は本来、化学の領域に属するのですが、超ＬＳＩの基板では、機械工学的にもたいへんレベルの高いものが要求されたのです。しかも、セラミックと金属の微粉末を一緒に焼くとき、単純に空気中で焼いたのではうまくいきません。製品によっては、水素や窒素を満たした炉のなかで焼かなければならないこともあります。

新しい構想を思いつくまではいい。難しいのは、それを実際に形にし、さらには採算的にも見合うように、開発していくことです。パソコンに組み込める大きさで、かつ市場で売れるような値段でつくる、大量生産するための体制をつくっていく、それはまさに創造です。先人は誰もいないわけですから、自分たちであらゆる問題を解決しながら、歯を食いしばってやっていくしかないのです。

実際に、これを成し遂げるには、気の遠くなるような努力と創意工夫の積み重ねが必要でした。日本セラミックス協会での講演の帰途、身震いを感じたのは、このときの創造のプロセスを思い出していたからです。この画期的な新製品をきっかけに、京セラは企業としても急激に成長発展を遂げていきました。

周りの顔色を気にして、せっかくの着想を捨てる日本人　梅原

私の研究の場合、調べてみると、同じような説を思いついた人は、ほかにもいました。ところがみんな、結論が学界の常識と矛盾するということで、途中で捨てているのです。こんな説を発表したらボスに嫌われる、自分が学界の孤児になると思って、捨ててしまうのです。調べてみるとそういうことがしばしばあったことがわかったのです。

とすると学者にも勇気が必要だと思います。きちんと真理に向かい合って、真理のためには一〇〇万人を敵にしてもかまわないという勇気が必要です。その点が日本人に欠けているように思われます。日本人というのは、とかく人の顔色ばかり見て、学界の風潮に研究を合わせる人がほとんどです。真理というのは個人に密かに語りかけてくるものだという認識が足りないのです。

これがヨーロッパ人だと、神様は自分一人に語りかけてくると考えます。その語りかけられたものに対して、絶対の自信を持っています。ところが日本人は、周りの顔色ばかり気にして、せっかくいい着想が浮かんでも、その着想をものにできません。

つまり、創造性を発揮するためには、努力も必要ですが、勇気も必要なのです。それも理性を伴った勇気です。

第二電電設立時に体験した、役人たちの硬直した思考回路　稲盛

いま梅原先生がおっしゃったことは、第二電電を創業するときに強く感じました。いまから二十年ほど前のことですが、電気通信事業が自由化され、それまで国有だった電電公社が民営化されてＮＴＴとなりました。このとき、私はきっと誰かがＮＴＴを向こうに回して新電電を興し、競争原理を働かせて、通信料金を安くしてくれるのではないかと考えていました。しかし、いつまでたっても、誰も手を挙げようとはしません。結局、痺れを切らして、私が手を挙げることになったのです。

電気通信事業は、これまで私がやってきたファインセラミックスのビジネスと、質的にまったく異なる仕事です。私自身、化学が専門で、通信分野の技術も経験も持ち合わせてはいません。それなのに、ただ義侠心みたいなものから、電気通信事業にチャレンジしようと思ったのです。

当時、世界的に見て日本の長距離電話料金が高いということは、誰もが共通して感じていました。また、それが一社独占の弊害によるものだともわかっていたのですが、あえて巨大なNTTに挑戦しようと勇気をもって名乗り出る人はいなかったのです。それを、地方のセラミックメーカーの経営者でしかない私が、名乗りをあげたわけです。

そうして始めた第二電電は順調に船出し、新電電のなかではつねにトップを走りつづけました。しかし、その道が平坦であったわけでは、決してありません。

私には通信分野の知識がありませんでしたから、第二電電発足にあたって、旧電電公社や、当時の郵政省や通産省の方に入社していただきました。会社をつくった後は、そのような官僚出身の、いわば硬直した思考回路しか持たない人との戦いが続いたのです。

私は、新しい事業ですから、「こうしよう」「ああしよう」と、次々に思いついたことを彼らに提案していきました。ところが、彼らからは、一〇のうち八ぐらいは、「無理です」という答えが返ってくるのです。

「たいへん失礼ですが、社長は何もご存じありません。いまの日本には電気通信事業法や日本電信電話株式会社法、さらには郵政省からの通達というものがあるのです。そのため、いまいわれたことを実行することは、まったく不可能です」と、最初からこんな調子です。

彼らの思考回路では、やっていいものと悪いものが最初から決まっていました。そのため、どんな素晴らしい発想を前にしても、「あれはダメ」「これはダメ」ということのほうが先行してしまうのです。制約条件が頭の入り口にあるようでは、いくら斬新な発想を聞いても、何も生まれません。

私の場合は、新しいことを始めるときには、最初は「こうあったほうがいい」と思う理想から始めます。そして次に、その理想を実現する方法はないかということを、具体的に詰めていくのです。法律上の制約などで、難しいことも多々あるかもしれないけれど、それも解釈によっては可能になることもある。そのように、あらゆる可能性を考えもしないで、「ダメです」の一点張りでは、新しいことなどできるはずがありません。

そんなことを、私は彼ら官僚出身者たちにもいったのですが、それを聞いて、彼らがすぐに「わかりました」となるかというと、事はそう簡単ではありません。頭を抱えることはよくありました。

「うちの社長は、野人で理屈がわからない。聞き分けのない赤ん坊みたいだ。困ったものだ」というわけです。そんなことはできるわけないし、やってはならない、そんな発想をすること自体間違っている、そういわんばかりの顔をしているのです。

そのたびに、私は烈火のごとく怒って、「一度ぐらい新しいことに挑戦して、何とかしようと考えてみたらどうか。そうでなければ、新しい会社を成功へと導けるはずがないではないか」と、繰り返し繰り返し言いつづけ、実際、率先垂範自らがやってみせ、そうやって少しずつ彼らの意識を変えていったのです。

このことは、日本の産業界の今後を考えるときにも、たいへん重要なことではないでしょうか。ベンチャーの育成ということは、現在の日本、なかんずくバブル経済崩壊後の日本にとって、重要な命題です。そしていま、ベンチャー企業が誕生し、育成されていく社会的基盤を整備しようという趣旨から、さまざまな論議が展開されています。

私もベンチャーの育成にあたって、社会的なインフラを整備することは大切だろうとは思います。しかし、ベンチャー企業を育み、起業家を輩出するための鍵は、制度や施設だけではないと私は思います。

企業経営者や起業家自身に、「限界を設けず、自由に発想して、挑戦する」という精神的基盤があるかどうか、それこそが鍵になると思うのです。

未来を担う若い人が、そのような意識を持てるか持てないかということが、ベンチャーを生み出していくための前提条件となり、また今後の日本の産業界の成否を決するのではないかと思います。

真の創造性を発揮するには、旧来の枠組みをすべて取り払うことです。難しい条件の検討を含め、冷静なシミュレーションは後でいいから、まずは制限を設けることなく、自由な発想を尊重することが大切です。それなのに自由な発想が出てくる前から、制約条件にばかり精通するようになる、またそのような人材が尊ばれるのが日本社会の現状です。いま日本のあらゆる分野に、そのような自由な発想を萎縮させる構造がはびこっている、これを根本から改革すべきなのでしょう。

ノーベル賞をとるのは京都大学を追い出された人たち　梅原

日本の大学は、まさにそういう構造です。よく京都大学はたくさんノーベル賞受賞者を輩出しているといわれますが、実際には京都大学のなかだけで研究してノーベル賞をとったのは、福井謙一先生だけといわれます。福井先生となぜ京大に多いかと話し合ったことがありますが、福井先生は入学の動機に原因があるといっておられました。

湯川先生でも福井先生でももちろん東京大学へ入ろうと思えば入れます。それをあえて京都大学へ入ったのは、名誉とか出世などということをまったく考えず学問をしたいからでしょう。私も東大か京大か迷いましたが、やはり学問をするのは千年の都のあった静かな町がよいと京大を選びました。

たしかにそのとおりですが、京大の卒業生でも京都にいてそのままノーベル賞をとった人は福井先生以外にない。湯川先生も大阪大学に、朝永振一郎（ともながしんいちろう）先生も東京文理科大学に行った。利根川進さんや野依良治（のよりりょうじ）さんはむしろ京大の反逆児です。私は利根川さんや野依さん以上に京大の反逆児でした。

日本の大学は、ムラ社会になっていますから、そのなかで創造性を発揮すると、周囲の人全員を敵に回すことになってしまいます。みんなと違う意見は認められない……こうした社会風土が大学のなかにもあり、日本から創造的な学者を出すことを阻んでいるのです。

もっとも、つねに常識の範囲内で行動し、そこから決してはみださない人が、いつも悪いというわけではありません。稲盛さんは第二電電でリーダーシップを発揮するのにずいぶん苦労されたようですが、一度体制ができると、役人たちは優秀な能力を発揮するものです。

私にも似たような経験があります。以前、京都市立芸術大学の学長を務めていたとき、事務局長からいわれたことがあります。「学長のやることは、まったくわからない。変なことばかりやっている。だけど、いわれたようにやってみると、不思議にちゃんと点と点がつながってきますね」と。

最初は不審がっていた彼も、そのことがわかったら、あとは私のいうことをよく聞くようになりました。彼はもともと役人として優秀な人でしたから、理解さえすれば全部、私のペースに合わせて仕事をしてくれるようになりました。

また、稲盛さんの話をお聞きして思ったのは、集積回路の仕事にしても第二電電の仕事にしても、創造性を発揮するには、一つのことにとらわれたらダメだということです。大きな仕事を成し遂げられない人を見ていると、最初に手掛けて一応成功した仕事にとらわれて、その仕事が逆に自分を滅ぼしてしまうケースが多いのです。やはり絶えず新しい仕事をして、頭脳を働かせていることが大切ではないでしょうか。絶えず新しい仕事をするのは大変でしょうが、そのあたりはいかがですか。

新しい事業に手を出して、失敗する人と成功する人の違い　稲盛

その話をお聞きして、私と一緒に京セラをつくった方のことを思い出しました。その方は、私の父と同じぐらいの年齢で、京都大学で電気工学を学び、私が大学を卒業して入社した松風工業という会社で、幹部を務めておられました。私が松風工業を辞めて、京セラを興すとき、一緒についてこられました。

その方にお聞きしたのですが、松風工業というのは、松風嘉定さんという焼き物職人上がりの方が興された会社だそうです。彼はたいへんな事業家で、日本で最初にアメリカから送電線用碍子の製造技術を導入して、その後、陶歯や濾過陶管などの事業にも進出され、成功を収められました。潤沢な資金を持っているものですから、松風嘉定さんのところには、山師が次々に訪ねてきて、儲け話を持ち込むようになりました。松風嘉定さんは、そんな話に乗って、いろいろと手を出しているうちに、ほとんどの事業を潰してしまうのです。

私が松風工業に入社したときは、その松風嘉定さんももう亡くなっていましたが、私と一緒に京セラを興した前述の方は、その栄枯盛衰をずっと見ておられたので、私が次から次へと新しいことに挑戦するときに、よく松風嘉定さんの話を持ち出しては、注意されたものでした。「嘉定さんは、一つのものに手を出したかと思うと、また別のものに手を出して、結局最後は会社を潰してしまった」と、暗に私がいろいろと新しいことに挑戦するのを戒めようとするのです。

しかし、その方がいうように、一つの事業や製品化で成功したからといって、それに甘んじていたら、小商人（こあきんど）で終わってしまいます。会社を大きくしようと思ったら、次々に新しいテーマに挑戦するしか方法はないのです。

そこで私の場合は、その方の話が脳裏にしみ込んでいますから、新しい事業を始めるにあたっては、従業員を集めて、こんなことをよく話していました。

「会社を大きくするには、どうしても多角化する必要がある。そのためには新しい事業を手掛けなければならない。しかし、それはたいへん難しい。なぜなら、その分野には、すでにそれを専業とする競争会社がある。力を分散しては、新規参入組が負けるのは最初からわかっている。そのなかで成功するには、本業のほうをしっかりと守りながらも、新しい事業分野でも、専業会社に負けないぐらいの努力を払わなければならない。つまり、人の倍ぐらい努力をすることが求められるのだが、その覚悟がなければ、新しいことには手を出してはいけない。自分は、それだけの努力をするつもりだ」

新しいことに挑戦するには、これぐらいの決意が必要なのではないでしょうか。そういう覚悟もなく、片手間で次から次へと手を広げていけば、戦線が拡大しすぎて、やがて失敗するのは目に見えています。新しいことに手を出すには、まさに命を懸けるぐらいの意気込みが不可欠となるのです。

スーパー歌舞伎『ヤマトタケル』が大成功した理由　梅原

私は、人間が滅亡する原因の一つは、傲慢になることだと思うのです。私が書いたスーパー歌舞伎『ヤマトタケル』に先に述べたように、「とうとうヤマトタケルも傲慢という人間を滅ぼすもっとも重い病にかかったか」というセリフがあるのですが、人間は傲慢によって滅びるということは、ギリシャ悲劇の思想なのです。人間は成功すると、自分が何か特別な能力を持っているように思いがちです。そして、何でもできるような錯覚に陥ってしまう。そこが滅亡の一つの原因なのです。「初心忘るべからず」と世阿弥がいうのはそのことです。いつも初心に帰って謙虚に真理の声を聞かなければならない。

もう一つは、守るだけというのは難しいということです。

ただの守りに入ってしまうと、どうしてもエネルギーは衰退してしまいます。会社なら、おそらく社員全体の士気が落ちるでしょう。そうやって、だんだん滅んでいくのです。やはり絶えず創造して、日に日に新しくしなければ、成功は難しいと思うのです。

私のことでいえば、べつに仕事を広げようという気はまったくありません。ただ好奇心が強いので、ついつい新しいことに手を出してしまうのです。『ヤマトタケル』の場合、三代目市川猿之助さんから「新しい歌舞伎をつくってください」といわれて、すぐのってしまいました。そこが私の、おっちょこちょいなところです。

ただ、それでなぜ成功したかというと、やはり理論がしっかりしていたからでしょう。これは猿之助さんと意見が一致したのですが、明治以後できた新歌舞伎は、本来の歌舞伎が持っていた魅力を失っている。歌舞伎は華麗な歌や踊り、アクションで人を楽しませねばならない。しかるに近代の歌舞伎は、西洋の近代劇の真似ばかりして、華麗な歌や踊りやアクションを喪失して歌舞伎の伝統的な魅力を失っている。

そこで、歌舞伎がもともと持っていた歌や踊りやアクションの魅力を最大限に生かしながら、筋はいままでの歌舞伎のような荒唐無稽なものではなく、首尾一貫した内容を持ち、しかも人生に対する洞察を含む哲学的なセリフも入れる。そういう歌舞伎をつくるべきだと猿之助さんにいったら、「私もそう思います」と話が進んだのです。

そこで「誰か作者を探してください」と猿之助さんに頼んだのですが、その後二、三年して猿之助さんに会ったとき、彼は「探したのですがダメです。そんな歌舞伎をつくる人は誰もいません」といったのです。そのとき彼は「いっそのこと先生がつくってくださいよ」と頼むものですから、私は書かねばならないと思ったのです。

猿之助さんがあとから白状した話によれば、彼は私に歌舞伎の台本など書けるとは思っていなかったので、たんに社交辞令でいったにすぎないとのことです。ところが、こちらはバカ正直に猿之助さんの言葉を真に受けて、猿之助さんがこれだけ頼む以上、書かねばならないと思ったのです。

それから少し後、『古事記』を現代語に訳す仕事をしていたのですが、ヤマトタケルのところを訳していたとき、突然、ヤマトタケルが死に、彼の魂が白鳥になって空に飛び立っていく姿が猿之助さんの宙乗りの姿と重なった。

また、『古事記』ではヤマトタケルが双子の兄を殺すところから物語は始まります。そうすると、この双子の場面を早変わりでやれます。早変わりで始まり、宙乗りで終わる。これこそまさに猿之助歌舞伎だ。そう思って一挙に台本を書き上げたのです。

脚本を猿之助さんに渡し、約束を一応果たしたのだから、この脚本はオクラ入りしてもかまわないと思った。ところが夜中に猿之助さんから電話があり、「これはすごい脚本だ。先生はシェイクスピアかワグナーです」という。今度は社交辞令であることはよくわかりましたが、私は成功するかどうか半信半疑でした。ところが、興行は大当たりとなったのです。やはりこれは理論がきちんとしていたことと、その理論どおりに猿之助さんがじつに巧みに演出して役者たちが熱演してくれたからだと思います。

これがスーパー歌舞伎『ヤマトタケル』の誕生ですが、さらに二年ほど前（二〇〇〇年）にスーパー狂言『ムツゴロウ』というのを書きました。まあ、おっちょこちょいもひどいものですが、これがまた成功したのです。

茂山千之丞（しげやませんのじょう）さんとは前々からの友人でしたが、千之丞さんから「先生は東京の猿之助さんに歌舞伎の脚本を書かれたのですから、京都の茂山家にも狂言の脚本を書いてください」と頼まれたのです。じつは私は若いとき、「笑い」の研究というものを試みて、ほとんど毎日、大阪の中座や角座に松竹新喜劇や漫才を見に行った経験があります。それで千之丞さんの話にのってしまったわけです。

狂言は室町時代に大いに発展した芸術ですが、江戸時代の初期以降、ほとんど新作が出ていません。しかし狂言のおもしろさは風刺にあり、いまの世の中には矛盾がたくさんあるのだから、それを風刺したら、おもしろいものができるだろうと思ったのです。

それで書いたのが『ムツゴロウ』です。それは諫早（いさはや）の干潟の干拓を風刺したものです。いまはゴルフ場になっているかつての干潟にゴルフに行った社長とサラリーマンが、そこにいたムツゴロウの怨霊につかまり殺されそうになるが、命からがらのがれるという筋。こちらも千之丞さんの見事な演出、それに横尾忠則さんの大胆な装束および茂山千作さんをはじめとする役者の熱演によって、大成功しました。

歌舞伎にしても狂言にしても、私が書いた台本が当たったのは、私が何も知らなかったからです。いまの歌舞伎や狂言に私が詳しくて、台本の書き方や見せ場を熟知していたら、それにとらわれて、失敗していたと思います。何も知らなくても、理論だけはきちんと押さえていたことが、よかったのでしょう。

神業を手に入れた人類のあるべき姿　稲盛

創造という面では、われわれ人類は二十世紀、科学技術に立脚した高度な文明を築いてきました。これによって、人類は豊かな生活を享受できた半面、いま地球環境の破壊という問題に直面しています。

それは、フロンガスによるオゾン層の破壊、農薬や肥料などによる河川や海、土壌の汚染、さらには化石燃料の燃焼によって生じる二酸化炭素がもたらす地球温暖化などの問題です。

また最近では、科学技術のさらなる進展が、人類を含め地球上に生きとし生けるものすべてに、大きな影響を与えようとしています。

たとえば、ダイオキシンなどの発ガン性物質、環境ホルモンによる生体への影響、さらにはDNAの操作や細胞の核移植によるクローン技術の発達などで、このような急激な科学技術の発達が、生命の存在そのものに大きな脅威を与えているのです。

私はこのことを、次のように表現してもいいのではないかと思います。

「人類は、神業(かみわざ)を手に入れ、自由に使いはじめた」

つまり、いままで神のみが関与していたような高度な技術をわれわれ人類は手に入れ、自由に駆使しはじめたと考えられるのではないか。そして、「神業」を手に入れたわれわれ、もしくは「神業」を駆使しはじめた科学者や技術者であるからこそ、ここであらためて考えなければならない、大切な問題があると思うのです。

それは、「神業」を手に入れた者が、あらためて心の持ち方、心のあり方、つまり哲学を問わなければならないということです。もし「神業」を駆使する科学者が、誤った哲学を持つならば、人類の破滅につながりかねないと私はたいへん危惧します。

たしかに、さまざまな哲学があっていいと思います。しかし、その哲学には、ただ一つ絶対に外してはいけないキーワードがあると私は考えています。それは、「世のため人のため」ということです。どんな高度な技術を持とうとも、「世のため人のために尽くす」ということだけは、人類共通の精神的基盤として、絶対に失ってはならないと思うのです。

とくに、科学技術に携わる者は、自分の「哲学」のなかに、「世のため人のため」、いやこの地球、宇宙のために貢献しようという考えを持つことが、今後強く求められるのではないかと思います。

なぜなら、「世のため人のため」に尽くすということが、この世界のあり方そのものであるからです。私は、宇宙の摂理を次のように考えています。

「宇宙にはあらゆるものを生成発展させる意志があり、それにかなった考え方や生き方をすれば、必ずうまくいく」

宇宙物理学では、宇宙開闢(かいびゃく)に関して、ビッグバンセオリーが定説になっています。これは、百三十八億年ほど前に一握りの素粒子が大爆発を起こしたのが宇宙の始まりで、現在も宇宙は膨張を続けているという説です。

これによると、大爆発とともに素粒子が結合して、陽子や中性子、中間子が生まれ、原子核が形成される。そして電子が原子核の周りにとらえられ、原子ができあがる。さらには原子が結合し分子をつくり、分子が結合し高分子をつくり、やがて生命体が誕生する。そして、生命体は進化を繰り返し、この素晴らしい宇宙がつくられていったというのです。

このように、宇宙はその開闢以来、一瞬たりとも現状のままとどまることなく、すべて生成発展を続けています。素粒子は素粒子のままであっていいはずです。しかし素粒子は原子に、原子は分子に、分子は高分子に、高分子は生命体となり、そして生命体はいまも進化をやめることはありません。

このすべてのものを生成発展させてやまない流れが、宇宙には存在すると思うのです。それは、宇宙の意志とも呼べるものではないでしょうか。

この森羅万象すべてのものを進化発展させていく宇宙の流れと同調するかしないかで、人生や仕事の成否が決するのではないかと私は思います。この宇宙の流れと調和し、進化発展していくような考え方や生き方をとるならば、人生や事業も素晴らしい成果を残すと私は信じています。

ならば、宇宙の摂理と同調する考え方とは何でしょうか。それは、あらゆるものを受け入れ、発展させようとする、キリスト教でいう「愛」、仏教で教える「慈悲」であり、言い換えれば、優しく思いやりに満ちた「利他」の心なのだと私は考えています。

人間の考え方は自由でしょうけれども、根底には、このような宇宙が本来持っているのと同じような、「世のため人のため」という、「愛」に満ちた考え方を持たなければならないと思うのです。

そうであれば、人類が「神業」を手に入れてしまった現在、「神業」を行使するわれわれ人間の、とくに科学技術者の「哲学」、また「人生観」が厳しく問われてくるのではないでしょうか。科学技術に立脚した文明を生きるわれわれは、このことを胸に刻み、「世のため人のため」という、「愛」に満ちた考え方、つまり高邁な哲学を基軸に置き、生きていかなければならないと強く思います。

小さな会社を経営すると自信につながる　梅原

稲盛さんにしても私にしても、社会のあり方について、かなり思いきったことをいっています。こういうことがいえるのは、やはり集団の長として、「やるべきことをやってきた」という自信があるからだと思います。

稲盛さんが最初に会社を興されたときは、小さな企業でした。この時期がいちばん辛かったと思いますが、そこから始めて、立派な道徳心を持ちながら、会社を非常に大きくされた。道徳心と会社の発展を共存させるという困難なことを実現したことが、いまの自信に結びついているはずです。

私は昔、京都市立芸大の学長を務めましたが、中小企業の親父のような苦労がありました。いつも市長の顔色を窺う必要がありますし、ちょっと口ではいえない取引もいろいろありました。そういう体験をしてきたことが、私の実践的な自信になっているのです。

その後、国際日本文化研究センターの創設に携わり初代所長を務めます。芸大の学長が中小企業のうちの「小」だとしたら、こちらは「中」ぐらいの組織です。そこの長として八年間務め、センターの土台づくりを行いました。

結局リーダーというのは、最初は小さい社会から始めて、そこでしっかりと長を務めることが大切だと思うのです。孔子も魯の国の役人となり、立派に役目を果たしました。そこで自信をつけたのです。

その後、国が傾きはじめ、追放されるなど苦労をします。それでも魯の国の役人を務めたとき、一方で道徳心を持ちながら、一方で立派に政治を行ったという自信があったのです。そういう自信から、あのような偉大な思想を生むことができたのです。

孔子の思想は「仁」だといわれますが、これは憐れみの思想です。釈迦の「慈悲」やキリストの「愛」に通じる「仁」の思想で、国をつくろうとしたのです。そんな強い理想に燃えて、立派な思想を残した。それが究極的に、中国の国の思想になったのです。

これは非常に大事なことで、まず小さい集団のなかで、リーダーとしてきちんと務まらない人はダメだと思います。とくに、いまいる多くの政治家にいいたいことです。これは経営者でも同じで、やはり小さい会社を経営していると、会社のいろいろなところまで見えてきます。それが自信にもつながるのです。ところがいまのサラリーマン社長は、小さい会社を経営した経験を持ちません。急に大きな会社の社長になるから、なかなか全体を見ることができないのです。これは非常に困ったことではないでしょうか。

日本は「徳治」と「法治」の国家であれ　稲盛

たしかに、小さな組織から勉強を重ねていくことが大切です。サラリーマンでずっと通してきた人が、いきなり大会社の社長を務めるということは至難のわざでしょう。社長という仕事は、全体を広く見渡す能力が求められます。逆にサラリーマンは、部分を全うするのが仕事ですから、求められる能力がまるで違うのです。

小さい会社なら、いきなり社長になっても、全体を見渡すことは可能でしょうが、大会社ともなると、なかなかそうはいきません。私にしても、中小零細企業のトップを経てきたということが、得難い経験になっています。

それは、やはり梅原先生がいわれたように、最初は小さな組織のリーダーとして活躍するなかで、心を高め、徳を養い、組織を導く高邁な思想や哲学を確立することができるからです。

このことで思い出すのは、本年（二〇〇二年）、中国の「全国人民代表大会」で行われた朱鎔基首相の発言です。朱鎔基首相は、その政府活動報告で、江沢民主席が説かれた「法治（ほうち）」と「徳治（とくち）」を引かれ、「その両立が必要だ」と述べられたといいます。

「中国は人治の国であったけれども、これからは法治の国にしなければならない。さらには、いま中国では不正が増えていることを考えるなら、徳治の国でなければならない」というのです。

私は、日本こそあらためて、この「法治」と「徳治」という考え方を大切にしなければならないと強く思います。

日本は本来、法治国家であるはずです。しかし最近は、超法規的措置が横行しています。たとえば、経済界では不良債権を抱えた金融機関などに対して、経済ルールどおりであれば、破綻は必至なのだけれども、なんとか生かしておきたいと、国家が資本注入をしたり、またそのような銀行が過剰な債務を抱えた企業の債権を放棄したりする。ところが、同じ倒産しかかった会社でも、そのようなことを実施せず、あえて倒産させてしまう場合もある。

では、どういう基準でそれらの措置が決まるかというと、どうも釈然としない。それは、決定権を持った、ある立場の人たちによって恣意的に決められているとしか私には思えないのです。このことを見ても、あらためて日本が「法治」の国であることを確認する必要がまずあると強く思います。

同時に、日本は、「徳治」の国をめざすべきです。「徳」というものが欠落したことが、人心を荒廃させてしまっていることを、われわれはいまはっきりと自覚しなければなりません。

私は、「徳治」とは、人間としての「徳」をもとに国家運営を行うことであろうと考えています。つまり、人々が古来培ってきた哲学、つまり精神規範や倫理観をベースとして、国民の規範となる哲学を確立し、それを全国民で共有することです。

その精神規範や倫理観とは、「人間として何が正しいのか」ということであり、この正しいことを正しいままに貫くという姿勢で表すことができるのではないでしょうか。また、それは「誠意」「正義」「公正」「愛情」「博愛」「謙虚」「勇気」というような、両親などから幼いころに教わった、プリミティブな言葉で表現できるものでもあろうと思います。

私は経営者として、そのようなプリミティブな精神規範や倫理観をベースとして、企業経営にあたってきました。その結果、幸いにも私の経営する企業グループは、さまざまな経済変動や社会環境の変化を超えて、営々と発展成長を続けることができました。

それは、このようなプリミティブな倫理観に基づく哲学は、世代や民族の違いを超えて、あらゆる人間の「共感」を得られる普遍性を持っているからだと考えています。逆に、もしそのような普遍的な哲学を確立できないとすれば、その集団の繁栄は長続きしないはずです。それは、確固とした判断基準を持たないがために、誤った判断をしたり、一時の成功に驕り、努力を怠るようになったり、さらにはモラルが崩壊し、社会で不正が横行することになるからです。これは、国家の運営においても同様です。

ですから、学校などでは、幼いときから古今東西の聖賢の教えを通じて、「徳」の大切さ、そして「徳」を身につけることで、いかに人格を高めつづけられるかということを、ぜひ積極的に教えてほしいと思います。

また、政治家に対しては、人間の「徳」とは何ぞやということから、もう一度問い直してもらう必要があります。そして、「徳」を身につけ、人格を高めつづけるような人でなければ、決してリーダーにはなれないということを、政治家自身も、それを選ぶ国民自身もはっきりと理解するべきだと思います。

日本の将来を考えるとき、このことを心から願っています。

〈著者略歴〉
稲盛和夫（いなもり　かずお）
1932年、鹿児島県鹿児島市生まれ。鹿児島大学卒。1959年、京都セラミック株式会社（現京セラ）を設立。社長、会長を経て、名誉会長を務める。1984年、第二電電（現KDDI）を設立、会長に就任（現最高顧問）。2010年、日本航空再建のため、会長に就任（現名誉顧問）。著書に『[新装版]心を高める、経営を伸ばす』（ＰＨＰ研究所）、『生き方』（サンマーク出版）など多数。

梅原　猛（うめはら　たけし）
1925年、宮城県仙台市生まれ。2019年逝去。京都大学卒。哲学者。京都市立芸術大学学長、国際日本文化研究センター初代所長などを務める。1999年、文化勲章受章。「梅原古代学」「梅原日本学」と呼ばれる多くの著作がある。著書に『隠された十字架—法隆寺論』（新潮社）、『水底の歌—柿本人麿論』（上下巻、新潮社）など多数。

完本・哲学への回帰
人類の新しい文明観を求めて

2020年3月11日　第1版第1刷発行

著　者　稲盛和夫
　　　　梅原　猛
発行者　後藤淳一
発行所　株式会社ＰＨＰ研究所

東京本部 〒135-8137 江東区豊洲5-6-52
出版開発部 ☎03-3520-9618（編集）
普及部 ☎03-3520-9630（販売）
京都本部 〒601-8411 京都市南区西九条北ノ内町11

PHP INTERFACE https://www.php.co.jp/

組　版　朝日メディアインターナショナル株式会社
印刷所　株式会社精興社
製本所　東京美術紙工協業組合

ISBN978-4-569-84660-6

PHPの本

誰にも負けない努力

仕事を伸ばすリーダーシップ

稲盛和夫 述

稲盛ライブラリー 編

次代を担う、これからのリーダーに贈る！ 生き方・考え方・働き方を根底から変える！ 至高の指導者が放つ43の「ど真剣」メッセージ。

定価 本体一、三〇〇円（税別）